RENATO ALVES

O cérebro com foco e disciplina

Transforme seu cotidiano com mais produtividade e desenvolva o autocontrole para resultados extraordinários

Gerente Editorial
Marília Chaves

Assistente Editorial
Carolina Pereira da Rocha

Produtora Editorial
Rosângela de Araujo Pinheiro Barbosa

Controle de Produção
Fábio Esteves

Preparação
Entrelinhas Editorial

Projeto gráfico e Diagramação
Miriam Lerner

Revisão
Sirlene Prignolato

Capa
Miriam Lerner

Imagem de Capa
kotoffei/Shutterstock

Impressão
Bartira

Copyright © 2014 by Renato Alves
Todos os direitos desta edição são reservados à Editora Gente.
R. Dep. Lacerda Franco, 300 – Pinheiros
São Paulo, SP – CEP 05418-000
Telefone: (11) 3670-2500
Site: http://www.editoragente.com.br
E-mail: gente@editoragente.com.br

DADOS INTERNACIONAIS DE CATALOGAÇÃO NA PUBLICAÇÃO (CIP)
(CÂMARA BRASILEIRA DO LIVRO, SP, BRASIL)

Alves, Renato
  O cérebro como foco e disciplina / Renato Alves. – São Paulo : Editora Gente, 2014.

  Bibliografia.
  ISBN 978-85-7312-987-8

  1. Cérebro 2. Criatividade 3. Memória - Treinamento 4. Realização pessoal 5. Realização profissional I. Título.

14-10284   CDD-153

Índices para catálogo sistemático:
1. Mente e cérebro : Psicologia 153
2. Cérebro e mente : Psicologia 153

*Dedico este livro a minha esposa e companheira
de todas as batalhas, Ariane Alves, e ao nosso amado Miguel.*

Agradecimentos

Para escrever este livro busquei inspiração em muitas pessoas.

Alunos, parceiros, amigos, agradeço a cada um de vocês que contribuíram, direta ou indiretamente com suas experiências e comentários para que esta obra ganhasse corpo.

Agradeço a todos os meus colaboradores, em especial a Kátia Simões, uma das melhores assessoras que um palestrante poderia ter. Agradeço também aos amigos da Editora Gente pelo apoio a este projeto, em especial a Marília Chaves, Carolina Rocha e Rosely Boschini, que sempre me trataram com muito carinho e atenção.

Finalmente, um agradecimento especial a três homens que influenciaram positivamente a minha vida e por isso sempre ganharam em meu coração o status não de amigos, mas de pais.

Obrigado Valdomiro Bernava pelo exemplo de disciplina e lucidez, Décio Bernava pelo exemplo de bondade e simpatia e Geraldo Franco, o Geraldinho, pelos exemplos de equilíbrio, luz e paz mental.

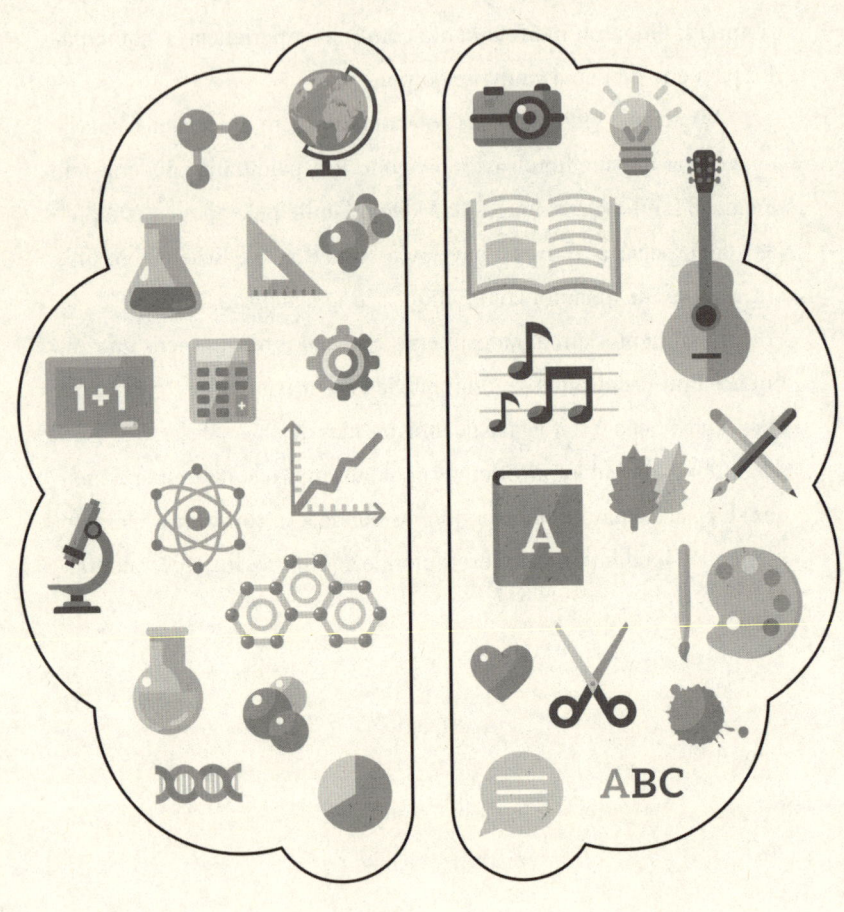

Sumário

Introdução **9**

Capítulo 1 — Mente indisciplinada é mente fraca **15**
Parece mentira, mas aconteceu e poderia ter sido com você **15**
Pensar demais é um problema? **18**
O objetivo é o autocontrole e a paz mental **20**
Você controla a mente ou é ela quem faz a festa dentro de você? **22**

Capítulo 2 — Especialistas em distrações **25**
Paz exterior, guerra interior **25**
A distância entre TER e SER **28**
Você, sua mente e sua memória **31**
O momento "candy crush" **36**

Capítulo 3 — Onde começam as distrações **43**
É fácil criar uma distração **43**
De onde vêm as distrações? **47**
Todas as suas escolhas estão corretas **51**

Capítulo 4 — Estados mentais e os problemas mais comuns **55**
Preocupação: quando as coisas não vão bem **62**
Vício: quando não temos a opção de parar **65**
Ladrões de atenção **67**
Medo que nos mantém na zona de conforto **72**
Retrabalho **74**
Atenção desgovernada **75**
Improdutividade: a morte dos sonhos **78**

Capítulo 5 — Os caminhos para a blindagem emocional **81**
Quem determina a solução ataca ou foge? **83**
Compreenda os pensamentos **87**
Proteja as emoções **89**

Capítulo 6 — Reação inteligente: criando relações saudáveis **91**
Veja com os olhos da benevolência **97**

Capítulo 7 — As metas para desenvolver o autocontrole **102**
Meta 1 — Evite comparações **103**
Meta 2 — Faça sua parte sem esperar nada de ninguém **105**
Meta 3 — Alcance a realização pela humildade **107**
Meta 4 — Aprenda a receber críticas **109**
Meta 5 — Não critique **111**
Meta 6 — Não julgue **113**
Meta 7 — Aprenda a receber conselhos **115**
Meta 8 — Não aconselhe **117**
Meta 9 — Faça declarações positivas **124**
Meta 10 — Fale menos, reflita mais **126**
Meta 11 — Na medida do possível, diga sempre a verdade **128**

Capítulo 8 — Organização, coragem e disciplina **131**
O que falta para você realizar seus sonhos? **135**
Organização: seu novo valor moral **138**
Coragem e disciplina **143**
Assuma definitivamente o controle **148**

Capítulo 9 — Agora você tem o poder **151**

Conclusão **157**

Referências bibliográficas **159**

Introdução

Explicar a mente humana não é tarefa fácil. Há séculos, pensadores, cientistas e filósofos tentam encontrar a melhor maneira de defini-la. A mente é transcendental, subjetiva, abstrata? Será interna, alojada em algum compartimento no cérebro; ou externa e coletiva, como uma rede de telecomunicação sem fio? Essas e outras perguntas me fizeram mergulhar no tema.

Já faz vinte anos que estudo a mente humana e todas as vezes que precisei explicá-la para alguém não o fiz com palavras, porque é realmente difícil explicá-la apenas com esse recurso. Se você, por exemplo, me pedisse para explicar essa fabulosa faculdade humana, eu certamente o faria por meio de palavras sim, mas também rascunharia um desenho. O desenho seria de uma grande lona de circo com as laterais abertas, permitindo-nos ver tudo o que se passa em seu interior. Embaixo da lona, no centro do circo, teria — como já seria de se esperar — um enorme picadeiro, onde o espetáculo da vida mental se desdobraria na presença de um único espectador, sentado na única cadeira existente. E esse solitário espectador seria **você**.

E se eu pudesse falar das atividades que ocorrem dentro desse circo chamado mente, enfatizaria mais as emoções, que seriam os artistas do picadeiro. Não poderia me esquecer, porém, de citar a memória, o raciocínio e os pensamentos — a turma dos bastidores que trabalha duro e dá suporte para que o show no picadeiro mental aconteça. Em algumas ocasiões, esse fabuloso picadeiro apareceria vazio. Entretanto, durante a maior parte do tempo ele estaria ocupado, completamente agitado, como se o apresentador, o trapezista, o malabarista, os palhaços, as feras e os dançarinos entrassem todos ao mesmo tempo, estimulando, assustando, alegrando, confundindo, irritando e cansando o solitário espectador.

Um circo. Essa é a melhor maneira de explicar a mente do cidadão contemporâneo. Mente agitada, com pensamentos desconexos, desorganizados e viciosos. Ausência total de foco. Um roteiro mental repetitivo que serve apenas para sugar as energias e tem produzido na vida das pessoas mais decepções do que realizações. Um circo caótico no qual foco, silêncio e criatividade cederam lugar para ansiedade, medo e decepção. E isso não está certo.

Tenho conversado com muitas pessoas e percebi que a humanidade está cada vez mais à beira do precipício com a mente, ou melhor, por causa dela, e foi por isso que me motivei a escrever este livro. Afinal, infelizmente, vejo jovens cheios de energia, inteligentes, inovadores, com potencial de ajudar muitas pessoas, mas perdidos quando precisam agir. Homens e mulheres com futuro promissor, mas com ideias que não decolam, com ideais que não passam de boas intenções. Uma geração que perde a cada dia a velha capacidade de verdadeiramente "pôr a mão na massa", que traça muitos projetos, faz muitas reuniões, toma decisões estratégicas, mas não tem força moral de colocar nada em prática, não tem poder de realização.

São pessoas com mentes incríveis que são desperdiçadas no processamento de eventos triviais e repetitivos, como checar a todo instante a caixa de mensagem no celular, se o cabelo está desarrumado, se a roupa está amarrotada; são pessoas ansiosas, que mendigam a atenção de alguém por meio de uma curtida ou um comentário sobre uma foto recém-publicada na internet. Trata-se de uma desordem interna, que se reflete em dias cada vez mais curtos, desordenados, tarefas sempre atrasadas e projetos incríveis que não alçam voos mais altos do que a primeira gaveta de uma escrivaninha. Consegue visualizar essa situação?

Hoje, principalmente nos grandes centros, é raro encontrar alguém que viva momentos de paz mental; momentos em que seja possível se concentrar e dirigir a energia e o foco na realização de tarefas de fato importantes. Os poucos lapsos de consciência e lucidez sobre prioridades que muitas pessoas experimentam em geral acontecem no lugar errado, na pior hora possível.

Você já deve ter tido uma ideia fantástica, um *insight* criativo ou se lembrado de uma providência que deveria ser tomada na mesma hora, mas estava debaixo do chuveiro, dirigindo ou até mesmo durante o ato sexual. Convenhamos, nessas horas não dá para simplesmente largar tudo, sair correndo e fazer o que deveria ser feito. Nesses momentos, nós nos sentimos totalmente sabotados pela mente. Aliás, não só nessas horas, mas o tempo todo. Quando a mente não nos sabota dando grandes ideias em momentos e lugares inconvenientes, o restante do tempo ela é a responsável por um verdadeiro inferno mental dentro de nós.

Talvez você já tenha experimentado em algum momento aquilo que denomino inferno mental. São aquelas ocasiões em que a mente produz um volume de pensamentos inúteis e desconexos tão insuportavelmente grande que parece que você vai enlouquecer. São pensamentos em série que oscilam entre bons, ruins, otimistas, pessimistas, sensuais, egoístas, egocêntricos, solícitos, arrogantes, autodepreciativos, autoritários. Alguns são carregados de humor, outros de tristeza; surge um de simpatia, o seguinte de apatia, mais adiante aparecem aqueles que remoem frustrações, preocupações, tristeza, medo... Nesses momentos, a mente parece uma televisão ligada 24 horas ininterruptas que exibe programas de todos os tipos, gêneros e intensidades. Para piorar, quando não tem nenhum pensamento orbitando a cabeça, surge uma música irritante cujo refrão, repetido milhares de vezes, cria e reforça a memória de modo tão surpreendente que você nunca mais a esquece.

O fato é que aquilo que parece loucura, hiperatividade, esquizofrenia, dupla personalidade muitas vezes é, na verdade, falta de autocontrole, uma total incapacidade de gerenciar distrações que só param quando, no final da noite, exausto, você adormece... para dali a pouco tempo acordar com o despertador. E todos nós já passamos por isso não apenas uma vez, mas centenas de vezes.

Conheci pessoas que nasceram, viveram e morreram escravas da mente ou por causa dela. Confesso também que por muito tempo eu fui escravo da minha mente; entretanto, com muito policiamento, conhecimento e técnicas, dia a dia tenho conseguido me libertar das armadilhas dos pensamentos desconexos. Como todo ser humano, tenho qualidades e muitos defeitos. Sou solícito em algumas situações, mas altamente egoísta em outras. E quem não é? No entanto, com meu desenvolvimento, muita coisa já mudou. Melhorei muito depois que aprendi a gerenciar minhas distrações. A disciplina e o autocontrole me ensinaram, de modo exemplar, a espiar, conhecer e interagir com a minha mente. Afinal, da mesma maneira que ela pode ser um fardo, se compreendida pode ser a sua melhor fonte de inspiração, o ambiente da legítima paz mental. Hoje consigo ver o tempo passar em câmera lenta e essa é uma sensação maravilhosa.

Talvez você não tenha se dado conta ainda, mas existe uma batalha invisível que travamos diariamente na tentativa de trazer a mente para o nosso lado. Às vezes sentimos que poderíamos ter feito melhor aquele trabalho, ter nos dedicado mais aos nossos semelhantes ou ter feito a coisa certa para não perdermos uma oportunidade. Se a mente é um picadeiro, somos nós que devemos dirigir o espetáculo. Por isso, durante muito tempo, resolvi me dedicar ao estudo da mente, a fim de aproveitar ao máximo os benefícios desse conhecimento – e agora compartilho minhas descobertas com você. Conhecer a mente será seu grande trunfo. Se deseja aumentar sua capacidade de foco e brilhar nos palcos da vida, esta é a aventura que proponho com este livro.

Não quero ser pretensioso dizendo que desvendei a mente humana, essa infinita e enigmática caixa-preta que nos acompanha. Acredito que nenhum homem jamais chegou perto de compreendê-la totalmente. Minha intenção é mais modesta, porém não menos ousada e útil. Acredito que poderei contribuir com o seu desenvolvimento por meio das linhas deste livro, ajudá-lo a conhecer e a preparar o picadeiro; vou colocar o roteiro em suas mãos e mostrar o caminho para uma atuação com excelência. Apresentarei ótimas dicas de como conquistar aquilo que experimento todos os dias e que tem sido cada vez mais "objeto de desejo" do ser humano: o autocontrole, a paz mental.

Como já disse, muitas vezes me senti escravo da mente, mas hoje sou eu quem dá as cartas. Aprendi a não reprimir, esconder, neutralizar ou brigar com pensamentos negativos, fracos, inapropriados. Uso uma nova abordagem, a de entender sua natureza, descobrir suas origens e abraçá-los. Ao fazer isso, vi muitas vezes de camarote o pulverizar de suas influências negativas que, se não fossem contidas a tempo, poderiam ter determinado meu destino desfavoravelmente. Com isso, posso dizer que hoje vivo em paz com minha mente e meus pensamentos. Sem falsa modéstia, gerencio com excelência esses anjos e feras que se apresentam no mesmo picadeiro. O que as pessoas mais próximas chamam de paciência, meus parceiros de trabalho chamam de calma; meus amigos, de sorte; alguns especialistas, de lei da atração, e minha esposa, de maneira divertida, de sangue de barata, eu chamo de autocontrole, equilíbrio, paz mental e liberdade.

Entrar profundamente em si mesmo e conhecer a própria mente lhe permitirá experimentar aquilo que hoje é meu lema e o qual quero compartilhar com o máximo de pessoas possível: o cultivo da paz mental. Com a mente a seu favor e não contra, é possível conquistar feitos incríveis, como relacionamentos fantásticos, bens materiais que sempre desejou e, principalmente, uma vida plena, presente, contemplando cada minuto dessa curta jornada que temos na Terra.

Creio já ter conquistado muitas coisas importantes e que realmente valem a pena na vida de um homem, como um ambiente familiar estável, equilibrado e amoroso, uma profissão na qual me sinto realizado e uma situação financeira confortável. Aprendi a gerenciar as distrações, dirigir o espetáculo da mente e canalizar minhas energias para fazer as escolhas certas. Agora, quero convidá-lo a fazer o mesmo. Acredito, sinceramente, que após a leitura deste livro você vai experimentar um estado de felicidade que, talvez, não experimentasse há muito tempo. Afinal, só você sabe o que se passa aí dentro, não é?

Portanto, procure um local agradável e isole-se para que não seja interrompido. Leia sem pressa, com calma, saboreando, refletindo, filtrando, aceitando, incorporando as ideias aqui apresentadas e evoluindo em cada tema. A minha proposta é de que revolucione a sua vida pessoal, social, profissional e mental.

Com este livro, quero ajudar o maior número de pessoas. Assim, ficarei honrado em receber um e-mail contando-me suas impressões e sua experiência com os ensinamentos apresentados aqui. Sinta-se completamente à vontade para me escrever.

Aproveite as ideias deste livro e faça uma ótima leitura.

Renato Alves
renatoalves@renatoalves.com.br

CAPÍTULO 1

Mente indisciplinada é mente fraca

PARECE MENTIRA, MAS ACONTECEU E PODERIA TER SIDO COM VOCÊ

Um passageiro está aguardando a chegada do ônibus no ponto, como faz todos os dias. De vez em quando ele vai até o limite da calçada verificar se o transporte se aproxima. Está ansioso, e isso é visível ao prestar atenção em sua mão direita, cujos dedos enrolam e desenrolam freneticamente uma nota de 5 reais, o único dinheiro que ele possui para pagar o transporte.

Passado algum tempo, ele avista o ônibus se aproximando. Quando o veículo finalmente para e abre a porta, acaba a ansiedade. O passageiro amassa o dinheiro que está em sua mão, joga-o na sarjeta e entra no ônibus que imediatamente parte. Ao chegar à catraca, o susto: ele havia amassado e jogado fora o único dinheiro que possuía para pagar o ônibus. Constrangido, ele explica sua história para o cobrador que, com benevolência, responde: "Eu acredito em você. Eu o vi jogando o dinheiro no chão".

* * *

À noite, em sua residência, uma mulher retira os alimentos da geladeira e monta seu prato para o jantar. Depois que tudo está pronto, ela segue até o micro-ondas, abre a porta, fecha a porta, programa o *timer* para dois minutos e liga. Durante os dois longos minutos ela fica olhando para o micro-ondas e aguarda, com a cabeça nas nuvens e o prato gelado nas mãos.

* * *

Sentado no sofá da sala, concentrado e assistindo a seu programa de televisão favorito, o marido pede um favor à esposa: "Amor, poderia ir até a cozinha e pegar o meu remédio e um copo de água, por favor?".

A esposa, solícita, levanta-se, vai até a cozinha, enche um copo de água, pega o comprimido, coloca-o na boca, bebe a água e engole... o remédio que o marido deveria tomar.

* * *

Uma mãe, apressada, dirige rumo à escola onde deixará o filho de 10 anos. O trânsito está tumultuado, congestionado, mas flui. Logo à frente há um semáforo no amarelo, ela acelera. O semáforo fica vermelho, ela freia, mas não se dá por vencida. A mãe pega o controle remoto do portão de casa, aponta-o para o semáforo e tenta abri-lo a todo custo. Ao filho, que estava sentado no banco ao lado, não resta alternativa se não arregalar os olhos, observar perplexo e perguntar: "Mãe, você ficou louca?".

* * *

Todas essas histórias são verdadeiras e aconteceram com pessoas que entrevistei. São histórias engraçadas e não devem surpreender porque poderiam ter acontecido com qualquer um, inclusive com você. São tantas histórias de falta de foco e concentração que daria até para fazer um filme de comédia. Elas acontecem o tempo todo com milhares de pessoas ao redor do mundo. E o que mais impressiona é que cenas como essas acontecem cada vez mais — e os desfechos para elas nem sempre são engraçados, pelo contrário, quando tais histórias chegam à mídia é porque tiveram consequências graves, dramáticas e, por que também não dizer, traumáticas.

Você já deve ter ouvido histórias trágicas de pessoas que esqueceram o bebê dentro do carro sob um sol escaldante, de profissionais que perderam parte dos dedos, braços ou pernas por distrações no trabalho, ou até mesmo de empresas que foram à ruína por culpa de funcionários desconcentrados e esquecidos. O preço que se paga pelas distrações é sempre muito alto, contabilizado em tempo, dinheiro e disposição. Para que você tenha ideia dos impactos causados pelas distrações, em 2005, a American Psychiatric Association (APA) apresentou uma pesquisa comprovando que apenas nos Estados Unidos são gastos cerca de 77 bilhões de dólares todos os anos com prejuízos causados por distrações e esquecimentos no trabalho. Imagine, então, se somarmos isso com as ocorrências de todos os países. É quase inacreditável. E, por mais que a humanidade desenvolva soluções eletrônicas, tudo indica que esse número vai piorar. Afinal de contas, quanto mais utilizamos soluções eletrônicas, menos usamos nosso sistema natural; e, quanto menos estimulamos nosso cérebro, mais preguiçosos e esquecidos nos tornamos. Assim, embora vivamos na era da alta tecnologia, as pessoas apresentam quadros cada vez mais sérios de falta de foco, distração, esquecimento e descontrole emocional.

PENSAR DEMAIS É UM PROBLEMA?

O cérebro humano é um computador biológico composto por células, com uma memória cuja capacidade de armazenamento é ainda desconhecida. Suspeita-se de que essa capacidade seja ilimitada, mas ainda não dispomos de instrumentos ou modelos matemáticos capazes de medi-la com precisão. Neurocientistas especializados em computação tentam estimar a capacidade de armazenamento da memória humana com base em padrões de conexões neurais; porém, o problema é que eles ainda não conseguem responder com exatidão a perguntas básicas: os neurônios realmente guardam as informações da memória humana? Onde ficam gravadas as informações que enviamos para a memória? Abra um cérebro e procure onde ficam gravados o nome, o endereço, os números de identidade ou a preferência por filmes de ação de uma pessoa. Ficam nos neurônios? Nas sinapses? No DNA? Por enquanto, não há respostas para esses enigmas.

A mente comanda a memória e o cérebro. O cérebro é um processador potente que trabalha de modo paralelo e distribuído, ou seja, é capaz de realizar várias tarefas ao mesmo tempo. Por exemplo, pense em um motociclista. A energia mental dispensada para controlar uma moto é extremamente complexa. Com a mão direita ele controla a partida, o acelerador e o freio dianteiro. Com a mão esquerda, a embreagem, as setas, a buzina e o farol. O pé esquerdo administra a alavanca de um complexo sistema de marchas cuja primeira se move para baixo e as outras cinco para cima. O pé direito controla o freio traseiro, enquanto os olhos ficam atentos escaneando as peculiaridades de um deslocamento no trânsito, além de cuidar dos retrovisores. Quem gerencia todas essas funções é o nosso processador central que, enquanto dirige e desloca o veículo de duas rodas com um corpo se equilibrando sobre ele, ainda consegue espaço para nos fazer cantarolar uma música interna na mente. Apesar de toda essa complexidade, a mente ainda possui espaço de processamento para pensar em uma porção de coisas ao mesmo tempo em que a mente inconsciente captura outras milhares. Nosso cérebro foi projetado e evoluiu para isso, para pensar e encontrar soluções criativas e inteligentes. Um dom, um privilégio da raça humana.

Contudo, tantas responsabilidades e afazeres exigem de nós muitas análises e, por vezes, nos pegamos pensando, pensando e pensando sem conseguir partir para a ação. E nos questionamos: perdemos a chance de pensar com calma ou será que estamos pensando demais e, por isso, não saímos do lugar? Pensar demais não é um problema, pelo contrário, pessoas que usam a cabeça sempre são vistas com admiração e respeito. Você já deve ter escutado a frase: "Pessoas que falam pouco, pensam muito". E você pode estar se perguntando: o que os pensamentos têm a ver com a perda de foco e concentração?

Veja: o pensamento é a ponte através da qual buscamos as soluções para os problemas que enfrentamos no cotidiano. Não existe mal nenhum em pensar. Os problemas começam, na verdade, quando a qualidade e, em particular, a quantidade de pensamentos que não nos ajudam se tornam inconvenientes e incontroláveis. Pensamentos negativos, repetitivos, viciosos e tóxicos têm tirado o foco das pessoas, impedindo a manifestação do pensamento elevado, criativo e reflexivo.

Talvez você já tenha experimentado a sensação desagradável de ter a mente descontrolada sem conseguir parar de pensar em algum momento. O caos mental é um cenário frequente hoje. Antigamente, diziam que pessoas calmas eram pessoas mentalmente saudáveis, e a loucura deveria ser tratada. Agora, os papéis parecem estar invertidos. Ser calmo parece ser motivo de tratamento, e a loucura, o destempero e o descontrole tornaram-se aceitáveis, comuns.

A contemporaneidade trouxe mudanças e grandes exigências, como a capacidade de pensar e de tentar gerenciar várias tarefas ao mesmo tempo, um requisito cada vez mais obrigatório para a área dos pensamentos impulsivos, que Freud chamaria de *id*. Em outras palavras, gastamos grande parte do tempo e de nossa capacidade mental analisando situações triviais, como escolher uma música ou que roupa usar em alguma festa, ter experiências sensoriais com games, sexo e alimentação ou bisbilhotar a vida dos outros em alguma rede social.

No entanto, ainda pior é saber que de 80% a 90% dos pensamentos que a mente produz são inúteis e repetitivos, como constatado também por Eckhart Tolle, autor do livro *O poder do agora* (Sextante, 2002). E se é um fato que pensamento gera comportamento, manter na mente sequências de pensamentos negativos pode levar, sim, a problemas de desordem emocional e doenças psicossomáticas. Portanto, pensar demais torna-se uma doença grave quando esse ato sepulta um dos maiores dons humanos: a capacidade de parar, analisar, pensar, refletir e tomar a melhor decisão para si e para as outras pessoas.

O OBJETIVO É O AUTOCONTROLE E A PAZ MENTAL

Na infância, tive o privilégio de morar alguns meses no sítio dos meus tios, no interior do estado de São Paulo. Morar é diferente de apenas visitar ou passar alguns dias em um lugar diferente. Viver em um local isolado, conviver com pessoas simples, interagir com os animais, experimentar o verdadeiro sabor e o aroma da natureza é uma imersão que todo ser humano deveria fazer. Morar na zona rural e fazer um verdadeiro estágio com a mãe natureza quebra o ritmo acelerado do cérebro de quem, por exemplo, vive nos grandes centros urbanos.

Nesses locais movimentados, aliás, o volume de estímulos que as pessoas recebem, como sons, cores e sensações, é tão alto e provoca tamanha fadiga mental, que, no final do dia, temos ânimo apenas para chegar em casa, tomar banho e cair na cama. Ou para, às vezes, lutando contra o cansaço, ficar sentado na frente da TV, anestesiado, acreditando, com isso, ter um momento de relaxamento que faça aquele dia realmente ter valido a pena. Se você tem uma rotina parecida, saiba que o bombardeio diário de informações cria um parque de diversões para a mente brincar e o cérebro se desgastar.

Já reparou que ao passear, simplesmente passear, em uma nova cidade e observar a arquitetura dos prédios, as pessoas, os carros, os hábitos e as construções do local, sua mente fica à deriva recebendo uma série de estímulos? Já notou que os olhos ficam atentos a tudo como se fosse um daqueles carros escâner do Google que passa mapeando as ruas da cidade? Perceba que muitas vezes, quando chega ao destino, seu cérebro está fatigado e, então, bate aquele cansaço.

Em ocasiões assim, quando tinha um compromisso importante para o qual precisaria de foco, procurava concentrar minha energia. Em vez de olhar para tudo, eu simplesmente fechava os olhos e ativava a memória. Tentava me lembrar da época em que morava no sítio, o que me ajudava a acalmar a mente e fortalecer meu autocontrole. Sei disso porque minha vida, hoje, contém todos os ingredientes para me destemperar emocionalmente. Passo a maior parte do tempo viajando para os grandes centros urbanos, onde pego táxis, visito empresas, conheço pessoas, faço reuniões de trabalho, ministro palestras, dou entrevistas, durmo pouco e logo tenho de me levantar para viajar para outro lugar. São semanas seguidas nesse ritmo frenético. E, quando finalmente me encontro na solidão de um hotel, lembro-me de que a quilômetros dali existem família, esposa e filho solicitando um pouco mais da minha presença.

Sim, o ambiente em que vivo é altamente estimulante e exige muito controle.

Nos curtos momentos em que fechava as cortinas, olhava para o fundo das minhas pálpebras e tentava me lembrar da época em que morava no interior; esse fluxo de pensamentos me mantinha calmo. Notava nascer em mim uma tranquilidade interna, um fenômeno que passei a chamar de *autocontrole*.

Não pense que para se sentir assim, ter consciência de estar no presente e viver alguns momentos de paz é necessário mudar de cidade. Você pode viver em um grande centro urbano. Pode manter-se conectado com seus aparelhos eletrônicos, continuar recebendo seus torpedos, e-mails e telefonemas, mas descobrirá que mesmo em meio ao caos informacional é possível acalmar o *id* e aumentar a influência do *Eu* em sua vida. A presença do Eu, isto é, da sua mente líder e consciente, produz momentos de paz mental, ou paz de espírito, um estado totalmente acessível. Eu aprendi como acessá-lo, ampliar minha capacidade de foco e com ela meu poder de realização. Agora é a sua vez de também vivê-lo.

VOCÊ CONTROLA A MENTE OU É ELA QUEM FAZ A FESTA DENTRO DE VOCÊ?

Em seu livro *Aprendendo a silenciar a mente* (Sextante, 2008), Osho, um dos mais influentes pensadores contemporâneos, compartilha uma de suas melhores e mais inspiradoras meditações. Ele afirma que toda criança nasce inteligente e a maioria das pessoas morre burra. Uma afirmação como essa pode receber diversas interpretações, entretanto, a mais apropriada é dizer que o ser humano que vive com a mente repleta de pensamentos desconexos e distraídos é extremamente fraco em poder de realização.

Muitas pessoas não são mais capazes de aproveitar a vida em seus melhores detalhes. Um adulto consegue sair de férias, viajar milhares de quilômetros para um lugar paradisíaco, deitar-se numa espreguiçadeira diante de um cenário dos sonhos e mesmo assim levar na mente uma bagagem de problemas, preocupações e frustrações que sequestram sua atenção do presente e a transporta para algum lugar no futuro ou nos remorsos do passado. Esse adulto não é capaz de sentir a temperatura agradável da água do mar quando esta encosta-lhe na perna, não é capaz de se envolver na magia do local; ao contrário, ele pode manter o mesmo nível de estresse e irritação que vivia no trabalho. Já uma criança no mesmo ambiente provavelmente funcionaria de modo diferente. Ela passaria grande parte do tempo mental focada no presente. Ela contemplaria cada experiência sem se preocupar com o que viria depois. O futuro não importaria e o passado — mesmo aquela bronca de poucos minutos antes — já teria sido esquecido. O que importa para a criança é o presente. E é exatamente no presente que o *Eu* se manifesta, que se amplia o poder de foco, e é possível ver os detalhes que nem o mais atento dos fotógrafos perceberia.

Talvez você já tenha ouvido a frase: "Quer melhorar o futuro, então melhore o presente". Esta é apenas uma das mensagens que este livro trará para você. A melhor maneira de viver e de impulsionar o presente é controlando e acalmando a mente. Com a mente calma, tranquila, você consegue treinar e desenvolver o foco. Ter autocontrole e paz mental é, como já vimos, um estado necessário para que suas melhores ideias brotem.

As crianças nascem com um "*software* padrão" que opera no presente. Elas nascem com o "aplicativo" da felicidade totalmente operacional. Rod Martin, professor de Psicologia da Universidade de Western Ontario e pesquisador da natureza e das funções do riso e do humor, afirmou que a criança sorri mais de trezentas vezes por dia enquanto um adulto o faz menos de vinte vezes por dia.[1] Uma conta absurdamente desproporcional e que, sem dúvida, traz prejuízos à própria saúde. Por isso, é mais do que fundamental resgatar a alegria que sentíamos quando éramos crianças. Neste livro, você descobrirá alguns caminhos para isso.

Você está qualificado a desenvolver o foco, o autocontrole e a concentração. Na verdade, sempre esteve. Desde o dia em que nasceu, veio ao mundo para ser feliz, não para viver triste, deprimido e preocupado. Sua missão, acredite, não é competir com outras pessoas por melhores colocações, posição social, coleção de bens materiais e para ser o cidadão mais rico do cemitério. Sua missão original é ser feliz. Talvez o seu *"software* da felicidade" tenha sido desconfigurado pelos percalços da vida e pelos pensamentos viciosos e desconexos que orbitam a mente, mas a felicidade está guardada no seu íntimo. Então, avance com a leitura deste livro e aprenda a domar seus pensamentos. Afinal, é você quem controla sua mente e não o contrário. Observe, conheça e domine seus pensamentos antes que eles acabem com você. Acredite: eles têm poder para isso.

---

1. Disponível em: <http://www.aath.org/do-children-laugh-much-more-often-than-adults-do>. Acesso em: 10 ago. 2014.

CAPÍTULO 2

Especialistas em distrações

PAZ EXTERIOR, GUERRA INTERIOR

Sidney Ferrér é um amigo de longa data. Publicitário competente, motivador de equipes, consultor empresarial, é aquele tipo de pessoa com quem você conversa duas horas e o aprendizado é tamanho que já vale por um ano de pós-graduação. Eu tive o privilégio de passar não duas horas, mas centenas delas ao lado desse ser humano espetacular. Durante as centenas de conversas-palestra que proferia, ele gostava de dizer: "As pessoas hoje vivem como se estivessem em uma espécie de transe, uma anestesia cerebral".

Observando a realidade da maioria das pessoas, especialmente daquelas que vivem em ambientes sociais e profissionais caóticos, é fácil constatar esse fato. O estado de transe que muitas delas vivem as aprisiona em uma rotina que não inclui nada além de acordar, enfrentar o trânsito, trabalhar, enfrentar o trânsito novamente, chegar em casa, tomar banho e dormir. Nos fins de semana, quando se imagina que vão aproveitar para relaxar e se divertir com os amigos, passam horas a fio deitadas no sofá em frente a um televisor assistindo algum programa trivial ou olhando para a pequena tela de um *smartphone*, curtindo fotos ou trocando mensagens. São vidas em *stand by*, em modo de espera, estão ligadas, mas não estão funcionando.

Conheci uma pessoa que durante alguns anos fez parte desse grupo. Era uma jovem inteligente e estudiosa, que morava com os pais em uma pequena cidade do interior. Lá ela estudava com o sonho de passar em um concurso público e viver em uma cidade litorânea. E, após anos de muita disciplina e perseverança, ela conseguiu passar no tão desejado concurso e realizou seu grande sonho.

Anos mais tarde, eu a encontrei e perguntei se ela estava se divertindo morando em uma cidade deliciosa e com uma casa praticamente de frente para o mar. Para minha surpresa, sua resposta foi exatamente o contrário: sua rotina de segunda à sexta-feira se resumia a trabalhar e, às sextas à noite, ao chegar em casa, ela colocava um pijama, que só tiraria na segunda pela manhã. Evidentemente, ela não me revelou todas essas coisas com um sorriso no rosto ou com o orgulho de uma *workaholic*, ao contrário, percebi nela uma mulher triste, solitária, em busca de algo que nem ela mesma conseguia explicar.

As pessoas perderam o foco. Claro que existem milhares de exceções, porém, a maioria das pessoas, em especial as mais jovens, não conseguem mais explicar o sentido da própria vida. Elas correm de um lado para o outro em busca de algo que não sabem definir. É como se estivessem perdendo uma festa em algum lugar que não conseguem encontrar. Para essas pessoas, o dia não cabe mais em 24 horas. Elas não conseguem planejar o próprio futuro pois não têm a menor ideia do que vivem no presente. Elas perderam o controle e talvez você esteja fatalmente entrando nesse grupo.

É fácil identificar pessoas que estão perdendo o controle da própria existência. São aquelas que não acordam mais com a suavidade da luz do amanhecer, não ficam felizes com o cantar dos pássaros ou os diversos sons da natureza, ao contrário, têm o sono brutalmente interrompido pelo grito metálico de um despertador. Não há tempo para se espreguiçar, elas se esquecem de respirar profundamente, olhar pela janela e agradecer pelo despertar de mais um dia. Elas não têm tempo de acariciar os filhos, de ensinar com paciência e carinho tarefas simples como escovar os dentes, vestir a própria roupa ou amarrar os sapatos; em vez disso, acordam os filhos em cima da hora, aos berros, exigindo que as crianças ajam como adultos e se adaptem ao ritmo neurótico que a vida tomou.

São pessoas que não conseguem mais seguir um roteiro ou um planejamento de trabalho. Elas iniciam o expediente cercadas e conectadas por meio de dispositivos que bombardeiam a mente com informações, causando não a produtividade, mas uma ansiedade que paralisa e as faz ver o dia passar rapidamente, sem realizar nenhuma missão que fosse de fato edificante ou contribuísse para o bem coletivo.

No final do dia, essas pessoas voltam para casa com o corpo intacto, mas a mente esgotada sem a mínima disposição para estudar, ler, meditar ou refletir. São pessoas que já não conseguem respirar profundamente e fazer uma simples oração sem que a mente divague para outras esferas e, ao deitar-se, não conseguem ter uma noite de sono tranquila, pois, embora estejam deitadas e de olhos fechados, a cabeça continua ligada, não param de pensar um só minuto nas tarefas, nos problemas, nos objetivos ou nas metas que precisam atingir.

Quando perdemos o controle, perdemos também a noção do tempo, aceleramos nossa rotina e, evidentemente, sentimos que o ano está passando mais rápido. Vivemos o hoje como se fôssemos viver para sempre, sem nos cuidar e com a sensação de que nossos esforços são em vão, pois o mundo muda a todo instante e nos vemos obrigados a acompanhá-lo. O que hoje é novo se torna obsoleto amanhã, e o sacrifício do dia a dia parece não dar resultados. A modernidade está robotizando o ser humano.

Na última década tive o privilégio de viajar para muitos lugares e conversar com indivíduos completamente diferentes. Conheci pessoas de classe média enterradas em dívidas, e com problemas para alavancar seus projetos ou sérias dificuldades para educar filhos cada vez mais exigentes. Também me reuni com pessoas riquíssimas cujo um décimo do patrimônio daria para viver confortavelmente, mas, em vez disso, vivem intoxicadas de antidepressivos, apegadas a montanhas de dinheiro às quais dedicaram a própria vida para acumular. Todas elas, sem exceção, revelaram sentir uma guerra na própria mente, mas, lá no íntimo, sentiam também que precisavam fazer mudanças na vida. Elas acreditam que, no fundo, o que lhes falta é meta ou força de vontade, mas, na verdade, trata-se de força moral, uma capacidade de sustentar as escolhas custe o que custar, e isso só é possível com autocontrole.

A DISTÂNCIA ENTRE TER E SER

Vivemos em um mundo em que as sociedades crescem e se organizam em torno de um pilar básico: o consumo. Nos países orientais, onde algumas doutrinas religiosas ensinam a desenvolver o autocontrole por meio do autoconhecimento, as pessoas têm mais oportunidades para desvendar a origem de seus conflitos e ter a chance de curar as próprias feridas. Nessas sociedades, os indivíduos aprenderam a valorizar e a investir no SER. Bondade, honestidade, altruísmos, humildade, paciência e disciplina são valores reconhecidos em pessoas que se despiram do apego material e preferiram cultivar o exercício da empatia, do contato com a natureza, do despertar da chama interna, do encontro com Deus. Quando você concentra sua energia e alimenta o SER, abre espaço para a paz mental — que permite o contato com o melhor de si.

Do outro lado do mundo, aqui no Ocidente, onde a maioria das nações é basicamente capitalista, as pessoas investem a maior parte do tempo e da energia para alimentar o TER. Nessas sociedades, adotamos a crença de que é valorizado quem tem a melhor casa, o melhor carro, as melhores roupas e *status* social para ostentar. Não quero dizer que o capitalismo seja o mal do mundo, mas que falta uma motivação que o sustente e justifique. Comprar uma casa confortável, possuir um carro seguro, vestir-se adequadamente, ter algum conforto e até mesmo pequenas regalias são direitos de todo cidadão trabalhador. A confusão interna começa quando buscamos o reconhecimento social por aquilo que temos. Entenda: quando seu estado de felicidade se manifesta pelo elogio que recebeu sobre algo que possui, então pode estar nascendo uma perigosa armadilha.

A questão é que o elogio tem o poder de alterar a química do cérebro e potencializar ainda mais a sensação de bem-estar. É como uma injeção de nitroglicerina no motor do prazer. Então, o estado de felicidade se associa ao alvo do elogio, que pode ser sua casa, seu carro ou suas roupas, por exemplo. É aí que nasce a escravidão, pois, sempre que estiver infeliz, desejará alimentar a experiência do prazer, do reconhecimento social. E, para ter mais prazer, terá de investir em novas aquisições. Ficará endividado. Terá de trabalhar mais. Perderá noites de sono... Se preciso, venderá a alma ao diabo para manter a nova química do cérebro e revelará, quem sabe, comportamentos estranhos, exóticos, que nem mesmo conhecia em si mesmo.

Em meados de 2014, correu o mundo a notícia de que a coleção de sapatos da ex-primeira-dama das Filipinas, Imelda Marcos, estava sendo atacada por cupins.[2] A nota chamou atenção não pelo gosto dos cupins em roer sapatos de gente rica, mas pela quantidade de sapatos que Imelda acumulava: mais de 3 mil pares. A quantidade era tão grande que, se todos fossem enfileirados, daria para percorrer mais de um quilômetro de sapatos, e, se ela usasse um par diferente a cada dia, ficaria cerca de oito anos seguidos sem repetir sapatos.

Além de Imelda, a consagrada atriz brasileira Susana Vieira declarou para uma emissora de televisão que possuía mais de trezentos pares de sapatos.[3] Isso representa 10% dos sapatos de Imelda, mas mesmo assim uma grande quantidade. Entretanto, em ambos os casos, o acúmulo não pode ser caracterizado como um transtorno obsessivo-compulsivo, especialmente se existir uma motivação consciente para isso. No entanto, se o motivo de tamanha aquisição for, no fundo, uma maneira de curar uma mágoa, minimizar uma ansiedade ou afastar um estado de tristeza pelo reconhecimento recebido por outrem, então aqui temos um ponto de fuga, temos um problema.

Por exemplo, conheci uma senhora que revelou ter comprado um carro zero quilômetro cujas prestações estavam bem acima de seu poder aquisitivo. Ela o havia comprado porque o vendedor lhe disse que era muito bonita e merecia um carro como aquele. Ela tinha perdido o marido havia alguns anos e desde então não tinha se relacionado com mais ninguém. Então, aquele elogio lhe proporcionou uma experiência rápida e agradável e a fez tomar uma decisão de compra, que lhe custaria anos de trabalho duro para saldar.

---

2. Coleção de sapatos de Imelda Marcos é danificada por cupins e inundações. *G1 Mundo*. Disponível em: <http://g1.globo.com/mundo/noticia/2012/09/colecao-de-sapatos-de-imelda-marcos-e-danificada-por-cupins-e-inundacoes.html>. Acesso em: 18 ago. 2014.

3. Susana Vieira e a história de seus 300 sapatos. Época. Disponível em: <http://colunas.revistaepoca.globo.com/mulher7por7/2009/09/01/susana-vieira-e-as-historias-de-seus-300-sapatos/>. Acesso em: 18 ago. 2014.

Talvez você esteja pensando: "Eu tenho as minhas coisas porque quero e não porque alguém fez um elogio que me forçou a comprá-las". Tenho certeza e até mesmo espero que a maioria das suas decisões de compra tenha sido motivada por uma vontade espontânea, pois isso demonstra que é uma pessoa lúcida, consciente e evoluída. Quando, porém, a necessidade de ter algo surge do desejo profundo de ser reconhecido, o que temos é uma falsa sensação de felicidade. É como a vontade incontrolável de consumir açúcar ou comer uma barra de chocolate, que pode se tornar um vício. Nesses momentos, em que os impulsos tomam conta de nós, acende-se a luz amarela. A satisfação plena deve ser conquistada pelo desenvolvimento do SER, diminuindo a importância do TER. Por isso, mais do que nunca é preciso ter autocontrole e autoconhecimento, pois são eles os melhores mediadores para fazê-lo vencer essa batalha.

VOCÊ, SUA MENTE E SUA MEMÓRIA

Autocontrole é a chave para o foco. O foco é a chave para o poder de realização. O poder de realização é a chave do seu sucesso.

O autocontrole abre as portas para que você tenha relacionamentos pessoais incríveis, em todas as esferas da vida, seja ela acadêmica, profissional ou social. Em contrapartida, o descontrole emocional produz relacionamentos difíceis, casamentos apáticos e competição desleal no ambiente de trabalho.

Às vezes, cometemos atos impensados dos quais nos arrependemos logo em seguida, como responder asperamente a uma pergunta do cônjuge, chamar a atenção de um funcionário de maneira grosseira ou até mesmo agredir fisicamente alguém que nos contrariou. Todas as nossas reações automáticas são orquestradas por uma região chamada amígdala, a área mais antiga do cérebro e parque de diversões das surpreendentes reações emocionais. Deixar essa região guiar nossas atitudes no dia a dia é o equivalente a deixar um tigre solto no picadeiro do circo — tal atitude poderia produzir cenas trágicas ou cômicas.

Um exemplo da importância de controlar as emoções é o que ocorreu quando o líder africano Nelson Mandela morreu, no dia 5 de dezembro de 2013. Autoridades de todo o mundo viajaram para a África do Sul a fim de prestar homenagens no funeral e, entre elas, estava o casal mais famoso do mundo, Barack e Michelle Obama, que atraíram as atenções da imprensa por uma cena inusitada.

Na ocasião, o presidente dos Estados Unidos trocou gracejos descontraídos e tirou fotos (*selfies*) com a primeira-ministra da Dinamarca, Helle Thorning-Schmidt, sob o olhar de total desaprovação da esposa, Michelle, que, pelas fotos publicadas em todos os jornais do mundo, estava visivelmente incomodada com a situação.[4] Sua postura, porém, foi exemplar e ela conteve qualquer atitude que pudesse explicitar seu desconforto ou criar algum tumulto. Algo difícil quando estamos em situações que, por exemplo, nos deixam enciumados.

Ainda sobre relacionamentos, muitas mulheres, em especial as mais ciumentas, gostam de se reunir e reclamar do parceiro apontando a falta de atenção como fonte de brigas e frustrações. Elas dizem:

— Meu marido é muito desligado.

— Ele nunca escuta o que eu digo.

— O meu nunca presta atenção em mim.

Entretanto, o que verificamos na maior parte das vezes, na verdade, não são homens distraídos, mas concentrados em outras funções: no futebol, no carro, na conversa com o amigo, enfim, em tudo, menos na companheira.

---

4. Disponível em: <http://noticias.bol.uol.com.br/fotos/imagens-do-dia/2013/12/10/sequencia-de-fotos-sugere-cena-de-ciume-de-michelle-com-obama.htm>. Acesso em: 18 ago. 2014.

Agora outro exemplo... Na escola, a professora o chama para uma conversa particular, afirmando que está preocupada com seu filho. Ela diz que o garoto não presta atenção na aula, que é um pouco avoado e desenha o tempo todo. A professora até o elogia dizendo que ele tem talento para o desenho, mas alerta que pode estar sofrendo de déficit de atenção e sugere levá-lo a um especialista.

No entanto, antes de tomar uma providência, analise: Será mesmo que seu filho sofre de déficit de atenção? Será mesmo necessário submetê-lo a tratamentos com psicoterapeutas, psicólogos, fonoaudiólogos, pedagogos, médicos e medicamentos? Ou será que você não teria também o direito de perguntar à professora se ela é realmente capaz de atrair a atenção em uma sala de aula?

A sala de aula é o local de interação entre professor e aluno. Nela, por um grande período, o aluno é o sujeito passivo, e cabe ao professor o papel de líder. Desse modo, quando um aluno se senta em uma cadeira dentro de uma sala de aula, ele envia, mesmo que inconscientemente, a seguinte mensagem: "Estou aqui, professor. Vim de casa até aqui. Envolva-me, seduza-me, leve-me pelo caminho do conhecimento, expanda meus horizontes, amplie minha inteligência, motive-me a prestar atenção em você". Entretanto, se o professor não tem a habilidade retórica e didática que permita reter a atenção dos alunos na sala de aula, em outras palavras, se não consegue fazer com que uma classe se concentre, será natural que esses alunos se dediquem a outros afazeres, e não simplesmente se distraiam, como se diz por aí.

A verdade é que nos concentramos em alguma coisa a maior parte do tempo. Às vezes, não nos concentramos no que de fato merece nossa legítima atenção, porém, estamos o tempo todo focados em algo. Atenção é uma função básica do cérebro humano. Todo ser humano mentalmente são (e estou falando da maioria) tem o estado de atenção saudável e funcional. Por isso, o que nos impede de prestar atenção naquilo que realmente importa é a falta de controle sobre os impulsos e os estímulos que recebemos constantemente somada à incapacidade de gerenciar a influência dos pensamentos.

Somos bombardeados ininterruptamente por estímulos vindos de todos os lados e de todos os dispositivos. Nosso sistema de atenção seleciona a que devemos prestar atenção com base em nossas regras de conduta, nossas crenças e nossos valores. Por exemplo, se você estaciona o carro em uma rua deserta e escura à noite, certamente vai focar a atenção na vizinhança e nas portas do carro, checando se todas foram bem fechadas. Talvez, nesse momento, a pessoa que está com você tenha lhe dito algo importante a respeito do evento de que vão participar, mas, como sua atenção estava completamente voltada para o carro, dificilmente conseguirá se lembrar do que foi dito. E essa falha de comunicação poderia gerar um grande problema. Por isso é fundamental que tenhamos autocontrole.

O autocontrole é a chave de acesso para um mundo mental fantástico, no qual as pessoas são mais calmas, disciplinadas, gerenciam as emoções e os pensamentos; um mundo em que as pessoas aparentemente comuns conseguem resistir com facilidade a tentações e vícios e apresentam um potencial de realização extraordinário.

Quando apresento aos meus alunos o conceito de autocontrole pela primeira vez, em geral eles o associam ao antigo método de respirar fundo e contar até dez. Esse método tem sua eficiência comprovada, sim, devo ressaltar, porém minha proposta neste livro é uma investigação mais profunda.

Proponho uma revisão completa dos hábitos diários buscando, com isso, descobrir as verdadeiras causas da distração e minimizar suas influências em nossa capacidade de sustentar o foco em determinada atividade. O que você precisa aprender a controlar é mais do que os impulsos espontâneos e as reações impensadas da amígdala; você terá de conhecer três entidades que habitam um mesmo corpo, três astros que se apresentam no mesmo picadeiro: você, sua mente e sua memória.

Talvez se recorde dos desenhos animados do Mickey Mouse ou do Pica-Pau. Lembro-me nitidamente de alguns episódios em que o personagem principal ficava diante de uma importante decisão e em seus ombros apareciam duas miniaturas de si mesmo: uma vestida de roupas brancas, com asas nas costas e auréola na cabeça, representando a figura de um anjo; e a outra, com traje vermelho, rabo pontudo e tridente nas mãos, representando o diabo.

Assim, quando, por exemplo, o Pica-Pau precisava decidir se pegava ou não a torta de maçã que a vovó deixara esfriando na janela da cozinha, ambos entravam em ação e começavam a soprar-lhe no ouvido conselhos que mostravam as vantagens e desvantagens de suas decisões. Muitas vezes, essas duas figuras começavam a brigar entre si com direito a socos e pontapés, simulando um legítimo vale-tudo mental, que confundia ainda mais o personagem. No final da disputa, geralmente por questões éticas e pedagógicas, o anjo sempre vencia.

Se você se autoanalisar, notará que todos os dias a cena do anjo e do diabo se desdobra dentro de você. No seu picadeiro mental, três personagens entram em cena: o protagonista, que é você; o diabo, que é a sua mente; e o anjo, que é a sua memória. Temos de tomar muitas decisões todos os dias, e em cada uma delas esses personagens assumem seus papéis. Você precisa agir, mas sua mente (o diabo) lhe oferece as opções mais práticas e ousadas, enquanto sua memória (o anjo) lhe mostra filmes do passado com experiências semelhantes que você ou alguém já presenciou e podem também influenciar suas decisões.

Talvez o diabo provocasse Michelle Obama no episódio do funeral de Nelson Mandela para que tomasse uma escolha ousada.

Talvez o anjo a lembrasse do protocolo que ela estudou quando Obama venceu as eleições presidenciais e que lhe dizia sobre a importância da imagem do homem mais poderoso do mundo. Naquele episódio, falou mais alto o autocontrole que Michelle exerceu. Claro que sua fisionomia mostrou seu sentimento perante toda a história, mas ela se comportou de modo exemplar diante dos fatos.

No exemplo da reunião escolar sobre o seu filho, na qual se suspeitava de que ele sofria de déficit de atenção, questionar as razões do desinteresse do garoto e entender que a responsabilidade não é só da criança, mas também dos adultos que a educam, é uma atitude de lucidez.

Em ambos os casos, o Eu, o personagem principal, falou mais alto do que a mente (diabo) e a memória (anjo) e tomou as decisões mais lúcidas que caberiam naquele momento. Entretanto, quando não se conhece o próprio potencial de controle dos impulsos da mente e da prisão da memória, tem-se uma vida de encrencas ou limitações, buscando soluções para os dilemas e criando mais problemas e mais distrações, com risco, assim, de encontrar o que denomino de *especialistas em distrações*, como veremos a seguir.

O MOMENTO "CANDY CRUSH"

Sabe aquele dia em que você chega à empresa com a importante missão de enviar um orçamento para um cliente, mas, quando abre a caixa de mensagens, vê o e-mail daquela maravilhosa liquidação que tanto aguardava? Diante da tentação, em vez de preparar o orçamento, você resolve espiar as ofertas. Pouco depois, o telefone toca. É seu funcionário dizendo que está preso em uma blitz policial porque a documentação do veículo da empresa está vencida. Então, você larga o que estava fazendo e vai até o local resgatar seu colaborador. Chegando lá, descobre que terá de terminar as entregas programadas para aquela manhã.

Então, um dos seus melhores clientes fica tão feliz com a sua visita que não o deixa sair sem antes tomar um delicioso *cappuccino* que só a secretária dele sabe fazer. É aquele tipo de pessoa que gosta de contar histórias e isso lhe toma um tempo precioso que não poderia desperdiçar. Saindo de lá a fim de retornar para a empresa, você pega um grande congestionamento que o faz chegar já próximo da hora do almoço de negócios marcado com outro cliente.

Durante o almoço, você recebe um telefonema do gerente do banco dizendo que precisa conversar com urgência sobre um cheque que foi depositado em sua conta. Isso o faz seguir do almoço direto para o banco. Quase no final da tarde, você retorna para a empresa e se envolve em outras atividades triviais. Termina o dia com baixa produtividade e, pior, aquele orçamento imprescindível que deveria ser enviado pela manhã será protelado para, quem sabe, o dia seguinte. À noite você chega em casa cansado, deita no sofá, saca o celular e abre um aplicativo. É o seu momento de descanso, o momento de relaxar com aquele joguinho viciante.

Esse cenário lhe parece familiar?

Em abril de 2012, uma empresa chamada King Digital Entertainment Plc. desenvolveu um simpático game de combinar doces chamado Candy Crush para o Facebook.[5] Com apenas dois episódios e dez níveis, o jogo era embalado por uma música gótica e uma locução com uma voz grave e perturbadora que conseguia sequestrar a atenção das pessoas. Em alguns meses tornou-se um fenômeno mundial. A ideia simples de combinar os doces em uma interface muito atraente o faz parar de pensar por um momento

---

5. DARAYA, Vanessa. Psicologia explica por que Candy Crush é tão viciante. *Exame*, ago. 2013. Disponível em: <http://exame.abril.com.br/tecnologia/noticias/psicologia-explica-porque-candy-crush-e-tao-viciante>. Acesso em: 18 ago. 2014.

nos problemas e exercitar a boa distração, ou o que chamo de *higiene mental*.

Baixei o jogo em meu celular por mera curiosidade. Em minhas viagens via as pessoas jogando por todos os lugares, nos aeroportos, dentro dos aviões, durante as aulas, em salas de cinema, filas de banco... Todo mundo: crianças, jovens, adultos, homens, mulheres, executivos engravatados, todos, sem distinção, tinham seu momento para o Candy Crush. Como um vírus, Candy Crush se espalhou pelo mundo sequestrando a atenção de milhões de pessoas. Dois anos depois de seu lançamento, tornou-se um arrebatador de mentes que gastam o tempo tentando combinar doces nos 605 níveis distribuídos em 40 episódios.

Candy Crush, assim como outros jogos, virou um ponto de fuga para muitas pessoas, pois tem o poder de distrair a mente e aliviar a pressão. É um analgésico mental que corta a ansiedade, o faz esquecer a depressão e neutraliza a raiva, mas por pouco tempo, pois, ao fechar o aplicativo, todos os problemas retornam ao picadeiro da mente.

Não existe ser humano que não tenha ao menos um problema que o deixe ansioso, deprimido ou com medo. Não existe também quem não tenha seu momento de relaxamento, ou seja, um ponto de fuga, um lugar seguro para se esconder, mesmo que por pouco tempo. Esse momento de fuga cria, entre você e o problema, uma barreira, que surge quando você está mergulhado em um jogo atrativo, quando coloca fones de ouvidos para escutar música ou quando aluga filmes para assistir no fim de semana.

O problema é que hoje ficou muito fácil fugir dos problemas. Jogar, assistir televisão, ir a um barzinho, navegar nas redes sociais, comer doces... Tudo isso alivia a tensão e cria essa névoa temporária, mas o problema real permanece e, no fundo, todos reconhecem isso. Talvez seja o filme que você protagoniza todos os dias. Já parou para pensar sobre como você foge dos seus problemas?

Em 1619 as pessoas também tinham problemas, mas não tinham muitas opções de entretenimento a fim de fugir deles. Assim, passavam o tempo pensando em soluções para seus conflitos. Faziam uma higiene mental construtiva.

René Descartes, por exemplo, filósofo, físico e matemático francês, foi convocado para a guerra e enviado para o campo de batalha.[6] Ele estava em apuros, tinha um sério problema. Seu momento de relaxar era usar o melhor aplicativo disponível na época para pensar: o cérebro. Pensar sobre a situação que vivia, a condição humana.

De tanto pensar em soluções para as dúvidas da própria alma, na noite de 11 de novembro de 1619, ele sonhou com um método quase matemático para explicar a constituição do pensamento. Na manhã seguinte, na monótona trincheira do campo de batalha em que ele servia, Descartes começou a escrever o *Discurso do método*, um dos livros mais influentes da filosofia. Vale ressaltar: nessa época, Descartes tinha apenas 23 anos.

Quando sua vida se resume a apagar incêndios o tempo todo, ou seja, uma luta diária para pagar as contas, um ritual que se resume em acordar–comer–trabalhar–dormir, significa que você está perdendo o sentido da vida. Em outras palavras, quando seu sistema atencional está impregnado de opções de entretenimento e sua mente não consegue mais selecionar aquilo que realmente é importante, perdendo-se em momentos ora de lucidez, ora de pensamentos desconexos, você começa a reforçar hábitos perigosos. O principal deles é fugir todas as vezes que se vê diante de um problema e não consegue controlar o foco a fim de encontrar soluções. Veja este exemplo.

É manhã. Você se senta diante do computador decidido: dessa vez vai escrever seu Trabalho de Conclusão de Curso (TCC) custe o que custar. Faz seis meses que concluiu a pós-

---

6. História da filosofia moderna. *Uol*. Disponível em: <http://www.discursus.xpg.com.br/moderna/methode.html>. Acesso em: 15 ago. 2014.

-graduação e ainda não terminou o último trabalho. Foram dois anos de sábados inteiros dedicados ao curso e um investimento financeiro alto. Além disso, o diploma com certeza o ajudará a conseguir uma promoção no emprego — mas para isso tem de concluir o TCC.

Então, você liga o computador, abre o editor de textos e olha para a implacável página em branco. Respira fundo e digita suas primeiras letras no cabeçalho da página:

Trabalho de Conclusão de Curso

Você mexe os dedos continuamente como se fosse um pianista. Suas pernas balançam como se quisessem levá-lo para bem longe dali. Você morde o lábio inferior, aperta as mãos, torce a boca, olha para a área de trabalho do computador como se tivesse uma longa história para contar. Vê a caixa de e-mails e percebe que tem catorze mensagens não lidas e pensa: "Ah! Deixe-me responder estes e-mails primeiro e depois começo a redigir".

Depois dos e-mails você retorna para o TCC. A caneta roda nas mãos, faz um rabisco em uma folha e a mente ainda não sabe por onde começar. Você pega o celular para ver as horas e acessa algum aplicativo. Joga durante alguns minutos. Sua memória o faz lembrar de alguma tarefa, sua mente o faz pensar em uma pendência e assim você passa a manhã protelando, adiando o problema. À tarde, continua arrumando desculpas e, no final do dia, ainda está sentado, frustrado, abatido por não saber por onde começar.

É quando está muito ocupado que o seu dia não flui e você não consegue se concentrar nem realizar nada. Nesses momentos, sua mente tem plena consciência do que precisa fazer, porém, o corpo parece buscar qualquer forma de distração para se refugiar – e você, de algum modo, deve exercer o autocontrole.

Eu mesmo já vivi muitos momentos assim. Confesso que nessas horas de angústia, em que a mente parece não querer contribuir, desejei estar preso em uma cela, um local fechado, como o isolamento de um presídio de segurança máxima, em um quarto pequeno com paredes brancas, uma porta blindada e uma pequena janela no lugar mais alto possível, para que não me ocorresse a ideia de sequer espiar o que acontece do lado de fora. Esse era meu desejo e me ocorreu inúmeras vezes quando precisei me concentrar e trabalhar.

Talvez você tenha o desejo de fazer um regime, de parar de beber ou de abandonar o cigarro. Talvez sua meta seja estudar para um concurso ou se dedicar mais ao aprendizado de um novo idioma. O fato é que sem disciplina e dedicação os bons projetos não decolam. Sua mente pode ser uma fonte de problemas, mas também pode ser uma usina de força se você souber colocá-la à sua disposição. Por isso, exercitar o autocontrole é fundamental. Entretanto, quando temos um problema, uma decisão difícil é mais fácil de ser adiada. Os homens, por exemplo, são especialistas nisso. Podem arrastar um relacionamento falido por anos a fio sem nunca tomar a iniciativa de ter uma conversa franca com a companheira.

E eis que fica a pergunta: fugir ou enfrentar os problemas? O autocontrole lhe permite tomar essa decisão. Fugir ajuda apenas a reforçar o problema e aumentar o sofrimento, e a maioria das pessoas se tornou especialista em fazer isso criando distrações. Um jogo, uma olhada nas redes sociais, uma música nos fones de ouvido podem fazê-lo esquecer-se momentaneamente do conflito ou da pendência, mas isso é equivalente a jogar uma gota d'água na fogueira.

Às vezes é mais fácil ter força moral para enfrentar o problema e acabar de vez com o sofrimento antes de vê-lo se transformar em algo maior. Muitas crises podem ser resolvidas com um pedido de desculpas. Muitas famílias podem manter-se unidas com um pouco mais de diálogo e muitos projetos podem evoluir com uma dose de humildade. O autocontrole facilita o exercício da empatia, que, por sua vez, nos permite tomar decisões mais lúcidas e acertadas.

Quando você corta o mal pela raiz, evita automaticamente que o sofrimento se propague. Sem sofrimento, você consegue manter o foco no que é importante de fato e ganha, assim, mais poder de realização.

Nos próximos capítulos, investigaremos a origem das distrações. Você descobrirá como, sem perceber, moldamos a mente e nos colocamos gratuitamente em situações-limite, e o que fazer para se livrar das armadilhas da distração.

CAPÍTULO 3

Onde começam as distrações

É FÁCIL CRIAR UMA DISTRAÇÃO

O jogador de futebol Ricardo dos Santos Leite mora em São Paulo. Sua condição financeira permite que ele frequente os melhores hotéis e os mais badalados restaurantes da região. Veste roupas caras de grifes famosas, circula com os melhores carros e só participa de eventos de alto nível. No entanto, Ricardo, ou Kaká, como é conhecido no Brasil e pelos torcedores do Milan, prefere dizer que, para ele, luxo mesmo é estar em paz.

Kaká é um bom exemplo de autocontrole. Disciplinado e perseverante, conquistou muito cedo todos os títulos com que um jogador de futebol poderia sonhar. Ganhou dinheiro, sucesso e fama, sem permitir que qualquer deslumbramento o tirasse dos trilhos. Ao contrário, ele mantém a mesma postura humilde, ética e moral que cultivou ao longo dos anos. Formou uma linda família e pauta sua vida nos valores cristãos.

Em outra cidade do Brasil, temos a história de outro jovem, chamado Eduardo. Ele é corretor e trabalha em uma sólida empresa de seguros. É um jovem comunicativo e tornou-se bem-sucedido no ramo de vendas de seguros. Eduardo mora em uma grande cidade e tem uma rotina previsível moldada durante anos, fazendo o mesmo trabalho, na mesma empresa. Acorda todos os dias no mesmo horário e cumpre o ritual: tomar banho, colocar roupas, sapatos, relógio, tomar café, pegar o carro e ir para o trabalho.

Como corretor, ele faz captação de novos clientes, atende e faz manutenção dos contratos existentes. Eduardo não é um homem rico, mas se define como um homem realizado. Com algum sacrifício e economia comprou uma boa casa, um bom carro e ainda conseguiu guardar algum dinheiro na poupança. Ele tem tudo de que precisa e, da mesma maneira que Kaká, gosta de dizer que vive em paz.

Certo dia, porém, o relógio que Eduardo carrega no pulso parou de funcionar. Como ele só tinha aquele relógio e precisava dele para realizar suas tarefas, mais do que depressa o levou para o conserto. Na relojoaria, enquanto espera o conserto, ele é abordado por uma simpática vendedora que mostra diversos modelos de relógios e sugere uma aquisição. Eduardo gosta da proposta, compra o novo relógio, paga o conserto do antigo e vai para casa em paz.

No dia seguinte, ele acorda cedo, toma banho, coloca as roupas, depois os sapatos e, finalmente, abre a caixa de relógio e, com um discreto brilho nos olhos, constata, orgulhoso: agora ele tem dois relógios.

Se reler esse trecho com uma lupa perceberá que Eduardo tem, na verdade, duas opções, e, assim, tem um problema. Evidentemente, o estado de entusiasmo inunda seu ser e não lhe permite notar, emergindo em sua mente, um mecanismo poderoso: a capacidade de tomada de decisão ou a capacidade que temos de fazer escolhas.

Durante anos, cientistas debateram, formularam teses, escreveram artigos sobre qual seria a melhor definição para *inteligência*. Os estudos mais recentes mostram que temos não apenas um tipo de inteligência, mas diversos. Fala-se, hoje, em múltiplas inteligências, como a emocional, a lógica, a musical, a cinestésica, a política, a espiritual etc., mas todas as definições são desmembramentos de uma única função mental, ou seja, a capacidade que temos de fazer escolhas. Inteligência é, portanto, a capacidade de fazer as melhores escolhas.

De acordo com a religião católica, Deus acendeu essa fagulha divina em nossa mente e a chamou de *livre-arbítrio*. Segundo o livro do Gênesis, daquele momento em diante, o homem poderia fazer as próprias escolhas, tomar as próprias decisões, embora nem sempre fossem as melhores. Lembra-se da história de Adão, Eva e a serpente?

Tomamos muitas decisões todos os dias, mas a maioria delas é praticamente imperceptível. Você toma decisões rápidas quando dirige um automóvel ou caminha por uma calçada movimentada, e decisões mais demoradas quando, por exemplo, monta seu prato em um restaurante *self-service* ou avalia a melhor alternativa em uma prova com múltiplas escolhas. O fato é que o tempo todo fazemos escolhas, rápidas, lentas, complexas ou simples, sobre eventos que muitas vezes nem percebemos.

Voltando a nosso exemplo, Eduardo agora estava parado avaliando seus dois relógios. Ele tinha duas opções, um problema, resolvido rapidamente: naquele dia ele trabalharia com o relógio novo. Convenhamos, dessa vez a escolha de Eduardo foi relativamente simples, porém, a obrigação dali em diante, todos os dias, de ter de fazer uma escolha, mesmo que simples, instalou na rotina dele um problema, e quem tem um problema, tem uma distração.

No trabalho, usando no braço sua nova aquisição, Eduardo experimentou uma sensação que há muito não sentia. Os colegas e clientes usaram contra ele uma das mais poderosas armas de influência: a aprovação social.

Entre as melhores maneiras de persuadir um ser humano temos o princípio da aprovação social. Segundo esse princípio, decidimos o que é correto descobrindo o que as outras pessoas acham que o é. Esse princípio aplica-se especialmente à maneira como decidimos o que constitui um comportamento adequado. Assim, a tendência de considerar adequada uma ação quando realizada pelos outros normalmente funciona bem, e Eduardo agora estava recebendo elogios sinceros e até mesmo eufóricos dos colegas de trabalho sobre sua nova aquisição.

Em momentos como esse, a vida nos prega algumas peças. E, por mais que estejamos integrados em um meio social ou profissional, muitas vezes e pelas mais diversas razões nos sentimos sozinhos, carentes. Nessas horas, nossa sensibilidade se aflora e qualquer gesto de afeto, palavra amiga ou aproximação pode proporcionar momentos mágicos, mesmo que sejam rápidos ou passem despercebidos para quem os proporcionaram. Esses gestos e palavras de carinho alteram a química do cérebro e a sensação de bem-estar gerada preenche um vazio. Contudo, o preço que pagamos por esses raros momentos de aprovação social pode custar muito caro. Pode ser o início de um longo período de escravidão...

Algumas semanas se passaram e lá estava nosso amigo Eduardo dentro da mesma loja de relógios adquirindo um novo modelo. No dia seguinte, ele teria três opções para avaliar, embora não tivesse consciência disso. E, mesmo que percebesse, isso já não importava. O que contava mesmo era saber que, ao chegar ao trabalho, ele receberia elogios renovados sobre sua nova aquisição e seu bom gosto.

Tudo isso parece simplista, mas é uma maneira de tentar mostrar como às vezes ocupamos a mente com coisas triviais e esquecemos aquilo que realmente é essencial. Se você pudesse parar e olhar com calma para os pensamentos que lhe povoam a mente, como um telespectador que assiste a um documentário, provavelmente assistiria a uma avalanche de pensamentos desconexos. E se você tivesse a possibilidade de classificar os tipos de pensamentos, perceberia que muitos deles são frutos de tomadas de decisão em geral inconscientes. E, ainda, se verificasse o que o obrigou a tomar essas decisões, sem dúvida encontraria motivos complexos, como a decisão de demitir um colaborador da empresa, e muitos outros inúteis, como escolher o relógio, o perfume, a roupa ou o sapato que vai usar. Desse modo, tornamo-nos especialistas em distrações.

DE ONDE VÊM AS DISTRAÇÕES?

Existem muitas maneiras de responder a essa pergunta. Inclusive, nas próximas páginas, mostrarei como várias delas se dão por preguiça mental, falta de motivação, rotina, entre outras. Antes, porém, deixe-me explicar um pouco mais sobre o problema das escolhas.

Voltemos a Eduardo, que agora tinha três belos relógios para usar. Se espiássemos sua vida mental, quadro a quadro, como dizem na linguagem da televisão, talvez descobríssemos que, toda vez que ele abre a gaveta de relógios, inicia-se em sua mente um processo de tomada de decisão que poderia ser descrito mais ou menos assim:

— Qual relógio combina melhor com a roupa que estou usando hoje?
— Qual usei ontem mesmo?
— Faz tempo que eu não uso este aqui.
— Deixa eu colocar este outro.
— Não, não ficou bom...
— Então, vai este aqui mesmo!

Parar todos os dias diante dos relógios para uma tomada de decisão gera uma breve perda de tempo, e desencadeia um processo de distração. Talvez você possa pensar: "Mas é um tempo insignificante". Verdade, concordo. Entretanto, deixe-me explicar: não é só o tempo que está em jogo, mas também o desvio de atenção e a perda de foco, que deveriam estar destinados a objetos mais importantes. Por causa dessa tomada de decisão, ou distração, Eduardo poderia se esquecer de pegar, por exemplo, a pasta com os documentos que usaria na reunião daquela manhã e isso geraria um grande atraso: perda de tempo com o retorno, constrangimento junto aos diretores da empresa e um desgaste desnecessário de energia mental.

Talvez sua rotina seja complexa, repleta de tarefas, compromissos, reuniões e obrigações que preenchem cada minuto do seu dia, e o façam ter de tomar decisões grande parte do tempo. Se assim for, você entende muito bem o que quero dizer. Afinal, quando tem opções, tem problemas, e, quando tem problemas, pode perder o foco com frequência. Como se sabe, profissionais sem foco sofrem com os prejuízos das distrações, que incluem a perda de tempo, o retrabalho e a baixa produtividade.

Distração, descontrole emocional, estresse, depressão, frustração, sonhos dilacerados, este é o padrão de uma sociedade perdida, paralisada em virtude de uma sucessão interminável de pensamentos desconexos e decisões inúteis. Pensar demais em questões triviais, decidir muito sobre ações desnecessárias, consome energia e causa fadiga mental.

Para elucidar melhor este ponto, analise assim: o cérebro humano consome 25% da energia que gastamos todos os dias.[7] Muito desse consumo se deve ao gerenciamento ou ao processamento das milhares de tomadas de decisão ou pequenas distrações que nos acometem no cotidiano.

---

7. LIMA, Nelson S. O que faz mal ao seu cérebro. Disponível em: <http://vencergt.com/wp-content/uploads/2010/11/INIMIGOS-DO-C%C3%89REBRO.pdf>. Acesso em: 8 set. 2014.

Por isso, cada vez mais pessoas se queixam de fadiga mental, ou seja, queixam-se dos turbilhões que chegam à mente sem que possam se sentir aliviadas em momento nenhum. Elas fazem pequenas escolhas e tomadas de decisão o dia todo e, então, quando chegam ao final do dia, estão esgotadas, com as energias sugadas e, evidentemente, sem pique para brincar com os filhos, fazer uma boa refeição, estudar, ler um bom livro ou até mesmo se divertir (inclua nessa categoria fazer sexo).

E os pequenos vícios que criamos se estendem até que se tornem parte de quem somos. Usando ainda a vida de Eduardo com exemplo, agora ele é diretor da empresa na qual trabalha. É um homem superatarefado. Casou-se com uma esposa carinhosa e com ela teve uma filha, para quem sobra pouquíssimo tempo. A esposa também é trabalhadora e tem o mesmo gosto sofisticado de Eduardo para escolher roupas, perfumes e acessórios. Aliás, foi isso que os uniu: ambos gostam de receber elogios e também se elogiam com sinceridade. A aprovação social os incentiva a comprar mais e mais.

Eduardo tem uma coleção de mais de cinquenta relógios, organizados em cinco belas caixas pretas revestidas de couro. Toda manhã ele faz questão de abri-las, uma a uma, sobre a cama. É um doce ritual diário, que suga seu tempo e sua energia.

Eduardo também faz parte de um grupo de amigos colecionadores de relógios. É uma tribo que alimenta o ego em conversas animadas sobre marcas, detalhes e lançamentos. Tem sempre alguém no grupo mostrando um novo modelo, sempre alguma novidade superelogiada que leva os amigos a também investirem mais em suas coleções.

Assim, escolhas erradas começam, agora, a criar um estilo de vida difícil de sustentar, afinal, quem tem um bom relógio, também tem uma boa pulseira. Quem tem uma boa pulseira também tem um bom colar. Quem tem um bom colar não pode se vestir de qualquer jeito e por isso escolhe ter um bom par de sapatos, uma calça da moda, uma roupa de grife, um corpo perfeito, um rosto juvenil etc. Cada aquisição gera uma nova necessidade.

Nosso personagem faz parte de uma sociedade de consumo que paga por aquilo que deveria ter de graça, ou seja, paz mental. Uma sociedade que capricha na embalagem e se esquece de valorizar o conteúdo. Eduardo se tornou uma das pessoas que vinculam sensações de prazer àquilo que possuem, não àquilo que são. Uma dependência psicológica que faz com que as pessoas se sintam cada dia mais pressionadas e infelizes. São pessoas que não conseguem mais perceber que o vazio preenchido talvez por um elogio traz um enorme sacrifício, grande endividamento e ambiente mental caótico repleto de distração.

O que apresento neste livro é o autocontrole. É o seu poder de lucidez aplicado todas as vezes que deve tomar uma decisão. Questione-se: quais critérios usa para fazer suas escolhas? Por exemplo, é histórico ouvirmos os homens reclamando que as mulheres demoram demais para se arrumar, ao contrário deles, que sempre foram mais objetivos ao se vestir, deixando de lado a vaidade e apelando para a praticidade: uma calça, uma camisa, uma olhada no espelho e pronto. Em cinco minutos um homem costumava estar pronto para ser padrinho de casamento, e as mulheres sempre ficavam com o ônus do atraso para a festa.

No entanto, no início da década de 1980, estilistas como Calvin Klein elevaram a objeto de desejo o *status* da moda masculina, que até então era formada por roupas funcionais. Assim, campanhas publicitárias começaram a propagar a ideia de que os homens também deveriam se vestir bem. Resultado: hoje vivemos uma explosão da vaidade masculina que vai do cuidado com as peças íntimas até os sofisticados tratamentos estéticos. Essa nova realidade tem igualado os papéis do homem e da mulher na hora de se arrumar para uma festa, por exemplo — isso quando não é a mulher que agora tem de apressar o marido.

A questão se resume em: quanto mais você investe no TER, mais opções cria; e, quanto mais opções precisa controlar, mais decisões deve tomar; e, quanto mais decisões precisa tomar, mais tempo dispensa nessas tarefas que deveriam ser mais objetivas.

Talvez, hoje, você tenha criado para si uma atmosfera na qual precisa administrar centenas de tomadas de decisão que demandam um tempo precioso, que poderia ser usado em decisões mais importantes ou para se qualificar ou educar seus filhos.

Se você se tornou um Eduardo ou uma Imelda Marcos, entenda que, quanto mais energia dispensar nas tomadas de decisão, menos energia e foco terá para as tarefas relevantes. Por outro lado, quanto mais investir no SER, no autoconhecimento, no aprendizado constante, mais descobrirá que uma pessoa feliz, realmente feliz, não precisa de tanto para viver — e por isso será livre das prisões mentais, dos vícios, e terá uma vida plena e eficaz.

TODAS AS SUAS ESCOLHAS ESTÃO CORRETAS

Segundo a Bíblia católica, Jesus Cristo já dizia que a semeadura era opcional, mas que a colheita sempre seria inevitável. Quem semeia paz, colhe paz; quem semeia caridade, colhe caridade; quem semeia ódio, colhe ódio; e quem não semeia nada, não colhe nada. Todas as suas escolhas, sejam elas boas ou ruins, estão corretas porque são suas escolhas. Você é o responsável por elas.

Conheci uma pessoa que parou de estudar (uma escolha) logo que terminou o colegial. Foi uma escolha sustentada, apesar do protesto da família. Hoje, passados tantos anos, essa pessoa colhe o resultado com uma vida repleta de restrições, limitações, problemas em educar os filhos, ou seja, o preço de não continuar investindo em educação. Entretanto, foi uma escolha que ele fez seguindo os próprios critérios, o que acreditava ser correto para a vida dele naquele momento. Assim, podemos afirmar que todas as suas escolhas também estão corretas, desde que não afetem a vida de outras pessoas.

Contudo, muitas das nossas escolhas de alguma forma afetam a vida dos outros ao redor, gerando perturbações, tirando-lhes a paz que antes viviam. Por exemplo, seu filho de 18 anos resolve investir 70% do salário que ganha em um emprego instável para pagar as sessenta prestações de um carro zero quilômetro. Por mais que o pagamento seja de inteira responsabilidade de quem comprou o bem, se algo der errado, é você quem vai se envolver — afinal é seu filho e nenhum pai ou mãe quer ver o filho fracassar. Mesmo que no fundo tenha sido uma escolha dele, segundo os critérios dele, de acordo com a forma como ele foi ou não orientado, a maneira como foi persuadido pelo vendedor, enfim, a escolha às cegas, sem uma reflexão que contabilize os prós e contras, pode causar um desequilíbrio emocional, não apenas no jovem, mas em toda a família.

Já parou para pensar em quantas escolhas você fez e que afetaram a vida de outras pessoas? Pare um pouco a leitura e tente relacionar pelo menos cinco delas. Eis algumas áreas:

Em relação ao trabalho:

_____
_____
_____
_____
_____

Em relação às finanças:

_____
_____
_____
_____
_____

Em relação aos estudos:

_____
_____
_____
_____
_____

No relacionamento:

_____
_____
_____
_____
_____

Todas as suas decisões foram tomadas seguindo critérios. Quais foram eles? Em que foram pautadas suas escolhas? Por exemplo: quando eu era criança, gostava de deixar os chinelos jogados pela casa. Um dia, minha avó me chamou, apontou para os chinelos espalhados pelo chão e disse: "Você está vendo aqueles chinelos jogados ali no chão? Sabia que quando os chinelos estão virados a mãe da gente morre?".

Eu devia ter uns 7 anos e, como toda criança, imaginar perder a mãe era a pior coisa que poderia acontecer. Então, minha avó sugeriu que, quando eu entrasse em casa guardasse os chinelos na estante, onde deveriam ficar.

A partir daquele dia, e durante muitos anos, acreditei que chinelos virados matariam a minha mãe e incluí em minha memória essa crença. Uma crença limitadora, pois eu não tolerava ver chinelos virados por perto. Nem os meus nem os de ninguém.

É assim que criamos o nosso mundo mental, responsável por determinar como será o mundo real e vice-versa. É um círculo vicioso e muito perigoso que nos aprisiona.

O nosso personagem, Eduardo, instalou a crença de que pode receber um reconhecimento social todas as vezes que exibe um novo modelo de relógio. Portanto, em uma primeira análise, as escolhas que ele fez estão corretas e criaram um estilo de vida difícil de sustentar. E o mesmo acontece muitas vezes conosco na vida pessoal, profissional, acadêmica. Criamos estilos de vida que determinam os estados mentais que experimentaremos. É o início do descontrole.

CAPÍTULO 4

Estados mentais e os problemas mais comuns

Estado mental é como a mente reage a cada momento ou experiência. Para ilustrar, pense em uma lâmpada. Este é um bom exemplo, pois ela possui apenas dois estados: acesa e apagada. As variações que existem entre esses dois estados, como piscando, meio apagada, falhando ou quase queimando, nos remetem, ainda assim, a estes dois únicos estados: meio acesa ou meio apagada.

Pense agora em um animal de estimação, um cachorro, por exemplo. Se pudermos, como muitas pessoas o fazem, atribuir uma mente a um cachorro, então podemos acreditar que os cachorros possuem estados mentais. E quais estados mentais um cachorro poderia experimentar?

Imagino que, em algum momento, você já tenha encontrado seu animal de estimação bravo quando vê um desconhecido no portão, estressado quando seu filho mais novo resolve puxar o rabo dele, ansioso quando você o convida para passear no parque, ou alegre quando você chega em casa... Enfim, podemos atribuir a um animal de estimação diversos estados mentais. Contudo, quando elevamos o patamar a um ser humano, quantos estados mentais um ser humano poderia experimentar?

A Teoria dos Estados Mentais foi criada pelo filósofo americano John Rogers Searle que explicou a mente como um sistema funcionalista, no qual recebemos um estímulo (*input*), processamos a informação e emitimos uma resposta comportamental (*output*). Searle pensava a mente como um *software* executado em um computador, o cérebro. Assim, os estados mentais seriam uma condição permanente, uma característica da mente humana. Não existe "sem estado mental" ou "não estado", mas um ou mais estados instalados a todo momento. Mesmo à noite, enquanto você dorme, existe o estado mental de sono. Não ter estados mentais é como ser uma lâmpada queimada, ou seja, é a própria morte.

Estados mentais são como os ícones de aplicativos organizados na tela do seu *smartphone*. Você não utiliza todos ao mesmo tempo, mas estão todos lá. Alguns você utiliza mais, outros menos, outros ainda nunca utiliza. Assim, é possível classificar aplicativos do nosso *smartphone* em positivos e negativos, não é verdade? Positivos são aqueles que facilitam a nossa vida, nos deixam mais produtivos, estimulam nossa criatividade, nos divertem, nos fazem pensar. E os negativos são aqueles que nos fazem perder tempo, gastar energia, tiram o foco de tarefas importantes e viciam.

Você poderia agora mesmo fazer um exercício simples: pegue seu celular ou tablet e faça uma revisão de todos os aplicativos instalados. Organize em uma das janelas horizontais todos aqueles que ajudam nas suas tarefas e realmente tornam sua vida mais fácil. E na outra, coloque todos aqueles que viciam, atrasam a sua vida, fazendo-o perder tempo precioso. Quais são os predominantes? Em geral, muitas pessoas se distraem e perdem o foco nas tarefas porque passam grande parte do tempo acessando os aplicativos negativos, inúteis. O que fazer? Apague-os, simples assim!

Smartphone significa "telefone inteligente", e, se bem utilizado, sem dúvida deveria deixar nossa vida mais fácil graças a toda agilidade e conectividade que oferece. Contudo, o que temos assistido todos os dias são crianças, jovens e adultos sendo dominados por esses aparelhos, pessoas realmente dependentes e até mesmo escravizadas por essas pequenas máquinas. Agora, voltemos aos estados mentais: quantos estados mentais o ser humano pode experimentar?

Faça agora outro exercício. Pense no cérebro como um *smartphone* e nos estados mentais como *softwares*, aplicativos disponíveis para você acessar. Anote-os separando os estados mentais positivos e negativos. Considere positivos aqueles que o fazem avançar, superar desafios, pensar, achar soluções para problemas e ir em busca dos seus sonhos. E negativos aqueles que o paralisam, que sugam suas energias, distraem e diluem seu poder de realização.

Estados mentais positivos   **Estados mentais negativos**

_____   _____
_____   _____
_____   _____
_____   _____
_____   _____
_____   _____
_____   _____
_____   _____

Veja quantos estados mentais nós podemos acionar todos os dias!

Ao longo do dia experimentamos uma gama enorme de estados mentais. De acordo com as escolhas que você faz (*inputs*), eles podem frear totalmente o seu poder de realização. Por exemplo, Eduardo tem de acessar seu "aplicativo de escolha de relógios" todos os dias e avaliar os prós e contras de cada modelo disponível.

Parece exagero, mas é isso o que fazemos diariamente quando escolhemos roupas, sapatos e acessórios. É claro que existem pessoas desprendidas e despidas de vaidade que nem sequer olham para a roupa que usam, mas a maioria segue esse ritual diário. E, sem dúvida, nossa vida não se resume apenas a escolher roupas e acessórios. Pense nas outras centenas de situações que temos de avaliar e nos estados mentais (ou aplicativos disponíveis no cérebro) que são ativados em resposta a esses eventos. Por exemplo:

ATIVIDADE	ESTADO MENTAL	TIPO
Acordar abruptamente com o som do despertador	Susto	Negativo
Tomar café da manhã assistindo às más notícias sobre o trânsito	Ansiedade	Negativo
Apressar os filhos para ir à escola	Irritação	Negativo
Enfrentar um congestionamento no trânsito	Estresse	Negativo

ATIVIDADE	ESTADO MENTAL	TIPO
Perceber uma pessoa suspeita se aproximando do seu carro	Medo	Negativo
Deixar os filhos em segurança na escola	Tranquilidade	Positivo
Enfrentar o trânsito para chegar ao trabalho	Estresse	Negativo
Reunião de trabalho com o novo diretor da empresa	Ansiedade	Negativo
Almoço animado com os colegas de trabalho	Alegria	Positivo
Ler um e-mail informando que o cliente desistiu do contrato	Frustração	Negativo
Pegar as crianças na saída da escola	Pressa	Negativo

ATIVIDADE	ESTADO MENTAL	TIPO
Chegar em casa e cuidar das tarefas domésticas	Preguiça	Negativo
Voltar da academia	Ânimo	Positivo
Fazer sexo	Prazer	Positivo
Lembrar-se das tarefas do dia seguinte	Preocupação	Negativo
Dormir	Sono	Positivo

Como pode ver, o computador (cérebro) acessa diversos estados mentais (aplicativos) ao longo de um dia inteiro em resposta às escolhas que fazemos, às situações em que nos colocamos e até mesmo às lembranças que temos.

Analise, agora, que todos os estados mentais foram úteis de acordo com o evento que os estimulou. Por exemplo, sentir medo ao perceber a aproximação de uma pessoa estranha é um estado mental útil que o prepara para uma eventual reação caso a pessoa de fato queira fazer algum mal a você ou aos seus filhos.

O estado mental de pressa poderia ajudá-lo a encontrar uma opção no trânsito para chegar mais rápido à escola das crianças, assim como a ansiedade poderia deixá-lo mais alerta durante a reunião com o novo diretor da empresa. O problema é que são tantos estados experimentados (aplicativos acessados) ao longo do dia, que o consumo de energia do cérebro (o computador) e o desgaste mental aumentam, e a perda de foco, as respostas automáticas e o descontrole se instalam.

Certa vez ouvi a história de um empresário que estava procurando uma vaga no concorrido estacionamento do aeroporto de Congonhas. Ele estava com pressa (um estado mental), pois estava em cima do horário do voo, e alerta (outro estado mental), procurando uma vaga para estacionar o carro. Atrás dele tinha outro veículo com uma mulher na direção. Ela estava bem próxima da traseira do carro do empresário e não tinha como ultrapassá-lo. Ela também parecia estar com pressa.

Depois que os dois desceram os três andares e não encontraram vaga, a mulher acionou a buzina do carro para que o empresário saísse da frente. O ruído contínuo da buzina (*input*) ativou nele, imediatamente, o estado mental de raiva, e sua reação (*output*) foi engatar a ré e acelerar sobre a frente do carro da mulher.

Essa resposta ou reação negativa e automática talvez não tenha ocorrido exatamente porque a mulher buzinou, mas tenha sido a reação ao acúmulo de estados mentais negativos que aquele empresário vinha experimentando ao longo daquele ou dos últimos dias. Talvez estivesse há uma semana dormindo mal, fruto de preocupações no trabalho. Ou tivesse tido uma manhã difícil e a gota d'água tenha sido a buzina do carro. São diversos agentes que impulsionam o comportamento nas diversas situações que enfrentamos.

Os estados mentais refletem exatamente no estilo de vida e nas escolhas que as pessoas fazem para a própria vida. Confusão mental, falta de controle das situações e de foco nas tarefas e frustração a ponto de pensarmos em desistir significam desequilíbrio entre os estados mentais positivos.

Os estados mentais positivos ajudam a manter o controle das situações e o foco para que avancemos em busca de resultados, e os negativos causam um enorme conflito entre aquilo que projetamos (mente) e as lembranças do passado (memória).

Um estilo de vida com base em estados mentais negativos e limitadores pode resultar em pessoas medrosas, limitadas, com uma vida medíocre e repleta de dúvidas e confusões que paralisam suas ações no mundo ou produzem reações explosivas na mente. Ter autocontrole é ser capaz de escolher um estado mental que o mantenha em um estado de recurso.

Quando você passa a maior parte do tempo apagando incêndios e frustrado, você envelhece antes do tempo e percebe que ainda não realizou o que realmente era importante para sua vida, emergindo em sua mente um estado mental muito poderoso, um grande inimigo da concentração: a *preocupação*.

PREOCUPAÇÃO: QUANDO AS COISAS NÃO VÃO BEM

Ansiedade é um estado mental. É uma sensação de angústia derivada de momentos de preocupação. A mecânica é simples: você identifica um problema a ser resolvido, mas não tem a menor ideia de como fazê-lo. Nesse momento, sua mente começa a trabalhar no tempo futuro, ou seja, em busca de algum tipo de solução. E toda vez que você vai ao futuro e pensa nas piores consequências de um problema, produz um estado mental, a *ansiedade*.

Imagine um empresário com algumas duplicatas a pagar. Para quitar essas dívidas ele conta com um bom volume de dinheiro que entrará até o final da semana. Entretanto, ele recebe um telefonema avisando que o esperado pagamento atrasará. Após o susto e a decepção, o cérebro dele começa a buscar possibilidades de entrada financeira para saldar as dívidas. Após algumas simulações, ele finalmente constata que não existe solução a curto prazo. Como você se sentiria nessa situação?

Diante de eventos assim, a mente acessa a ansiedade como um modo de defesa natural do organismo contra algo que pode nos fazer sofrer. Nessa situação, a mente começa a projetar as consequências do não pagamento da dívida. Então, o mecanismo de ansiedade inunda a mente de hipóteses que ocupam todos os espaços. Esse caos interno é o início da preocupação.

Preocupação é um estado frequente na vida de muitas pessoas. É a preocupação que desvia nossa atenção daquilo que realmente importa. Por exemplo, conheço estudantes que passam mais tempo preocupados tentando adivinhar como será a prova do que efetivamente focados em estudar e se preparar bem para a atividade.

A preocupação é democrática. Ela ocupa a mente de jovens, idosos, pobres e ricos. Às vezes, a preocupação está relacionada a um evento bom que está prestes a acontecer, como um casamento ou uma viagem programada cuja data se aproxima, obrigando-o a se preocupar com os preparativos.

Uma pessoa pode estar preocupada com de que forma conseguirá comprar leite para o filho, enquanto um milionário pode estar preocupado com encontrar uma maneira de proteger a sua fortuna.

A maioria das nossas preocupações não está relacionada com as coisas boas que podem nos acontecer, ao contrário, elas têm mais a ver com aquilo que pode terminar mal. A maioria das preocupações diz respeito à projeção ruim de algo que pode nos acontecer. Preocupação com o futuro dos filhos; preocupação com a política e a economia do país; preocupação com as contas no final do mês; preocupação com o resultado da prova; preocupação com a situação da empresa.

Manter a cabeça no futuro processando soluções para os problemas ou remoendo as dores de uma situação que dificilmente será resolvida causa ansiedade, cegando-nos momentaneamente. Você vê, mas não enxerga; ouve, mas não escuta; não sente mais o que se passa ao seu redor.

Em um cenário como esse, torna-se fácil perder o foco das pequenas tarefas do presente. Por exemplo, imagine uma mulher que, após fazer compras, coloca a bolsa no teto do carro para arrumar as sacolas no banco de trás. Em seguida, ela entra no carro, dá a partida e sai deixando a bolsa perdida em uma esquina qualquer. As crianças, por outro lado, parecem controlar bem suas preocupações. Elas passam a maior parte do tempo no presente, buscando fazer uma coisa de cada vez.

Uma mente organizada consegue administrar melhor os eventos e fazer um planejamento que previne todos os possíveis problemas de percurso que podem ocorrer. Por exemplo, voltemos ao caso do empresário cujo cliente avisou em cima da hora que o pagamento iria atrasar. Nessa situação, ele estaria mais tranquilo e focado em outras tarefas importantes se tivesse o hábito de fazer algum tipo de reserva financeira para momentos de surpresa como esse.

Os pais teriam mais tranquilidade e participariam mais da vida atual dos filhos se desde cedo fizessem uma poupança mensal em nome das crianças ou cuidassem para que tivessem a melhor educação.

Uma nação sofreria menos se soubesse selecionar e escolher bons candidatos nas urnas. Viver no presente é uma maneira de manter o controle, pois nos permite manter o foco na prevenção de problemas futuros. Isso nos faz respirar de modo mais fácil.

Entretanto, o que vemos são pessoas cada vez mais tensas, mentes cada vez mais ocupadas projetando problemas. Como já vimos, de 80% a 90% dos pensamentos que a mente produz são negativos, e uma pessoa que repete muitas vezes esse padrão de pensamento pode se tornar medrosa, limitada e negativa.

VÍCIO: QUANDO NÃO TEMOS A OPÇÃO DE PARAR

Certa vez, no final de um seminário, conversei com um aluno que me disse ser viciado em sexo, tanto real quanto pela internet. Ele aparentava ter uns 35 anos e lutava de todas as formas contra esse vício instalado e potencializado pela facilidade de alimentá-lo, especialmente com o advento da internet.

Desde que a internet se popularizou, muitos homens passaram a evitar o risco das ruas e se dedicaram a buscar sexo virtual, seja marcando encontros reais ou simplesmente se saciando vendo fotos e vídeos pornográficos. O problema do aluno com quem conversava é que ele não conseguia mais parar. Ele tinha consciência da quantidade de vezes que pensava e buscava sexo, de que estava passando dos limites. Sabia que estava na iminência de tomar decisões erradas ou fazer péssimas escolhas, mas não tinha mais a opção de parar.

Um vício se instala definitivamente quando não temos mais a opção de parar. Você tem plena consciência da existência do vício, tem convicção da necessidade de parar, sabe que muitas vezes está acabando com a própria vida e com a vida das pessoas que ama, mas o vício ganha tal força, que a decisão de parar não lhe é mais possível.

Esse meu aluno revelou que chegava a passar três, quatro, cinco, seis horas seguidas ininterruptas na frente do computador buscando mais e mais pornografia. Nenhum vídeo era bom, nenhuma foto o satisfazia totalmente e, então, como no exemplo do colecionador de relógios, ele tinha tantas opções que parte do seu dia era dedicada a vasculhar esse buraco negro chamado internet. Ele não tinha mais produtividade.

Quando você entra no mundo virtual e pesquisa a palavra "sexo", tem à disposição mais de 131 milhões de resultados na língua portuguesa para navegar. São fotos, vídeos, textos de todos os tipos e gêneros. Uma em cada quatro pesquisas feitas na internet tem relação com sexo.

Segundo pesquisa da DoubleClick Ad Planner, ferramenta do Google, um dos mais famosos sites de pornografia do mundo recebe cerca de 4 bilhões de acessos por mês.[8] Assim, o foco total em sexo tornou-se um vício na vida daquele aluno e fazia com que ele diminuísse e até perdesse toda a concentração nas outras atividades importantes da vida, como trabalho, estudo, carreira.

Seu Eu interno gritava, mas ele não conseguia mais ouvir. Ele não tinha mais a opção de parar, mesmo acreditando ter tentado de tudo: instalou todos os filtros possíveis de moderação de conteúdo, digitou senhas aleatórias com os olhos fechados para bloquear sites em seu *desktop*, baixou programas de controle que travavam sites de busca, salas de bate-papo com troca de vídeos e fotos. No entanto, ele mesmo se sabotava. Uma semana depois lá estava na assistência técnica dando uma desculpa qualquer e pedindo para formatarem o computador porque não conseguia mais acessar a internet corretamente.

---

8. ANTHONY, Sebastian. Just how big are porn sites? *ExtremeTech*, abr. 2012. Disponível em: <http://www.extremetech.com/computing/123929-just-how-big-are-porn-sites>. Acesso em: 10 ago. 2014.

Para comparar, você sabe como funciona a memória RAM (memória de trabalho) de um *smartphone*? É uma memória de trabalho utilizada para realizar as operações de um aplicativo quando ele é aberto. Quando você usa um aplicativo que consome muito espaço da memória RAM, seu *smartphone* fica mais lento e você se queixa disso. Isso ocorre porque ele está fazendo um processamento "pesado", usando uma linguagem mais popular, e esse processamento utiliza muito espaço da memória disponível.

Algo semelhante acontece conosco quando repetimos um mesmo estímulo muitas vezes. Por exemplo, você ouve diversas vezes a mesma música. O número de repetições é tão grande, ocupa tantas vezes sua memória operacional, que você faz a habituação daquela informação, ou seja, você memoriza a música e, se não tiver um autocontrole muito forte, correrá o risco de ouvi-la na mente milhares de vezes ao longo de dias ou semanas.

E o que acontece quando repetimos um mesmo padrão de pensamento, como uma preocupação? Assim como a música, nós nos viciamos nesse padrão de pensamento e nos tornamos especialistas em preocupação. A pessoa preocupada com tudo e com todos desvia grande parte do foco para essa atividade e, por isso, perde poder de realização e produtividade.

LADRÕES DE ATENÇÃO

Existem diversas causas para a perda de foco, além de comportamentos obsessivos, como o caso do garoto viciado em sexo. Os maiores vilões são, na verdade, os pensamentos repetitivos e os conflitos internos. Algumas causas da distração são facilmente identificáveis, como uma televisão em volume muito alto ou pessoas conversando enquanto você tenta se concentrar em ler um livro. Há também estímulos físicos, como dor de cabeça, desconforto digestivo, unha inflamada e até mesmo déficit auditivo ou visual. Para essas situações, um pedido de "por favor", um pouco de bom senso das outras pessoas ou um tratamento específico em geral resolvem.

O que fazer quando o motivo da perda de foco e do enfraquecimento do seu poder de realização não é percebido logo em um primeiro momento? Quero chamar a sua atenção aqui para as causas das distrações que não percebemos de imediato ou que têm origem em situações que nem imaginávamos que pudessem influenciar em algo. Veja alguns exemplos:

- *Falta de concentração para preencher um relatório de trabalho.* Sua cabeça dá voltas, seu corpo se sacode e nada de conseguir focar na tarefa de prioridade. Motivo dessa dificuldade de concentração: preocupação com o filho que já deveria ter chegado da escola, pois já passou do horário normal e você não consegue falar com ele.

- *Um aluno da sexta série com baixo rendimento escolar e problemas de concentração.* Conheci esse caso por meio de uma conversa com uma coordenadora pedagógica. Ela me disse que o garoto era muito fechado e andava sempre sozinho. Então, depois de trabalhar no caso dele, a coordenadora descobriu que o problema da falta de atenção estava relacionado ao *bullying* que sofria pelos outros colegas por causa de sua condição física — o menino sofria de atrofia do osso esterno do tórax. Sua condição fazia com que os outros garotos o hostilizassem, e isso o constrangia. Esse sentimento o mantinha em estado permanente de tristeza, o que não lhe permitia se concentrar. Obviamente, sem concentração esse garoto tinha baixo rendimento escolar.

- *Um garoto muito inteligente, espontâneo, mas com um péssimo rendimento escolar.* Em sala de aula ele não tinha o menor foco. Não participava dos grupos e, assim, só tirava notas baixas. Os pais, então, fizeram todos os tipos de tratamentos e testes, que resultaram em um diagnóstico de Transtorno de Déficit de Atenção e Hiperatividade (TDAH). Certa ocasião, ele revelou aos pais que estava sofrendo *bullying* na escola por causa do nome, Hitler. Por muito tempo ele preferiu ficar em silêncio e não dizer nada aos pais com receio de magoá-los e se sentirem culpados pela escolha do nome. Contudo, seu nome era a grande causa das críticas, comentários maldosos, fofocas e isolamento.

- *Um cliente estava com dificuldades de se concentrar no trabalho.* Quando conheci esse cliente, depois de muita conversa, ele admitiu que tinha esposa e três filhos pequenos para sustentar e estava passando por sérias dificuldades financeiras: contas vencidas e cobradores batendo à sua porta o tempo todo. Assim, a verdadeira causa de sua dificuldade de concentração não poderia ser tratada com medicamento, pois "pressão financeira" só pode ser corrigida com estratégias de administração financeira.

- *Uma jornalista com falta de concentração.* Certa vez conversei por e-mail com uma jornalista que se queixou de dificuldade em manter o foco e a concentração nas tarefas cotidianas, como ler notícias, fazer entrevistas, escrever matérias. Ela era casada havia três anos e seu marido era um homem muito especial, cuidadoso, carinhoso, perfeito. Sua grande aflição era que cada vez mais estava menos interessada no marido e sentia uma forte atração por outra mulher, uma colega de trabalho. O conflito interno que ela travava contra sua natureza e instinto sexual a tornava ora deprimida, ora agressiva com o companheiro. Qualquer grau de foco para as tarefas de sua atividade profissional era impossível.

- *Um estudante dedicado que se preparou durante anos para uma prova de concurso público.* Ele investiu tempo e dinheiro no intuito de ser aprovado. No entanto, chegado o grande dia, dirigiu até o local da prova e no trajeto, para descontrair, colocou o CD do seu cantor preferido, Roberto Carlos. Na sala de aula, na angústia da espera do início da prova, sua mente colocou no centro do picadeiro o cantor Roberto Carlos interpretando seu clássico: "Jesus Cristo". O problema é que esse departamento da mente do estudante não desligou em nenhum momento durante o teste. O refrão: "Jesus Cristo, Jesus Cristo, Jesus Cristo eu estou aqui" não saiu um minuto sequer de sua cabeça e o impedia de ler com atenção o enunciado das dificílimas questões. A inofensiva música o fez perder um ano inteiro de estudo e um grande investimento que fizera para sua preparação.

Muitas vezes não imaginamos que a falta de foco e atenção tenha como causa hábitos considerados normais, como ouvir música. Uma simples e inofensiva música pode ser construída de forma tão envolvente, ritmada e melodiosa que é facilmente memorizada e associada a um momento de alegria e prazer ou a um momento dramático ou depressivo. Assim, a inofensiva canção começa a ser repetida milhares de vezes, e provoca visíveis alterações na rede neural cerebral. Essa repetição sistemática inicia-se e permanece em segundo plano, prejudicando o foco em qualquer tarefa.

As músicas de antigamente, os clássicos de Bach, Beethoven, entre outros, eram feitas para serem apreciadas e realmente tocavam a alma. Música instrumental e clássica é uma arte, pois agita ou acalma a mente humana apenas no momento em que são ouvidas. No entanto, depois que saímos do conserto não a repetimos na memória. Não encontramos pessoas nas ruas repetindo mentalmente os clássicos de Beethoven como encontramos pessoas com fones de ouvido tocando músicas populares, fáceis, construídas com rimas simples, mas capazes de fixar-se na memória e passar semanas cozinhando nossos neurônios em repetições intermináveis.

Lembro-me de que quando ainda era criança tinha costume de assistir televisão deitado no chão da sala entre os meus dois irmãos. Nós sempre assistíamos a um seriado do Incrível Hulk, o primeiro da televisão estrelado pelo fisiculturista Lou.

Recordo-me nitidamente de quando o cientista David Banner ficava furioso e seus olhos rapidamente esbranquiçavam para que, em uma expressão de fúria e dor, ele se transformasse na fera. Naquele que para mim era o pior momento do seriado, ainda me sentia protegido ao lado dos meus irmãos. Horas depois, quando estava na cama e em vários momentos do dia seguinte, aquela imagem tenebrosa sempre orbitava minha mente e minha memória causando-me medo.

O tempo passou e essa associação foi perdendo a força. Entretanto, revivi esse mesmo temor pelos olhos do meu filho. Certa vez estava com ele na sala assistindo televisão — ele estava com 4 anos. Em algum momento eu pedi o controle para dar uma zapeada pelos canais e, por alguns segundos, parei em um canal que exibia um filme violento e a cena de um assassinato. Rapidamente, voltei ao desenho que meu filho estava assistindo.

Depois, horas mais tarde, enquanto eu o colocava para dormir, notei que estava muito quieto e procurei fazê-lo falar. Ele fez uma pergunta relacionada à cena de assassinato que tinha assistido por alguns segundos. Então, fiquei imaginando por quantas horas o pobrezinho remoeu em silêncio aquela cena de violência e que problemas ou limitações aqueles breves segundos poderiam lhe causar caso eu não tivesse lhe dado uma explicação razoável.

Com isso quero dizer que olhos destreinados nem sempre notam como pequenos eventos do dia a dia podem ser a fonte de uma guerra mental, criando estados mentais limitadores se os deixarmos passar despercebidos. Nessas ocasiões, pode se manifestar o estado mental de medo: medo da mudança, medo de enfrentar os desafios, medo de se entregar à vida.

MEDO QUE NOS MANTÉM NA ZONA DE CONFORTO

Talvez você conheça pessoas com um forte perfil empreendedor. Pessoas que enchem sua cabeça com boas ideias para melhorar seu negócio e seus projetos. Elas conhecem sistemas de trabalho eficazes, mas não conseguiram realizar quase nada na própria vida.

Elas são sonhadoras, mas sem ousadia, sem iniciativa ou coragem para tocar o próprio negócio. São especialistas em arriscar o patrimônio alheio, porém, quando a decisão diz respeito ao próprio ambiente de negócio, são extremamente medrosas. Suas pastas de projetos estão cheias de ideias geniais, entretanto, como têm dificuldade de tomar decisão, preferem não se arriscar e se agarram à própria zona de conforto.

A zona de conforto é gerada pelo medo especialmente em relação a mudanças, pois a mente mapeia e avalia uma porção de opções e projetos, pesando os prós e contras de cada decisão em um interminável processo de análise. Sim, podemos dizer que essas pessoas são bastante cuidadosas, capazes de ater-se a muitos detalhes. A dificuldade, na verdade, se dá porque, em meio a tantas análises e considerações, elas se esquecem de decidir. Minam o próprio poder de realização e muitas vezes desistem do sonho, dando espaço para que habite na mente um dos males do século: a *preguiça mental*.

Quando estamos estabelecidos em uma zona de conforto, é bem provável que percamos o foco. Afinal, o medo de decidir e agir é que nos mantêm nela. Esse sedentarismo mental torna difícil se concentrar, buscar saídas, pensar criticamente.

Talvez você já tenha se flagrado naqueles momentos em que precisava se concentrar na leitura de um contrato de trabalho, em uma apostila para o exame de qualificação profissional ou até mesmo para preencher uma planilha complexa, mas não conseguiu sequer iniciar a tarefa por preguiça mental.

A preguiça mental, ou preguiça de pensar, refletir, checar, calcular, geralmente o afasta do foco, tornando-o vulnerável a pequenos erros e grandes prejuízos. Em contrapartida, essa mesma preguiça mental nos leva a fazer as escolhas mais cômodas, nas quais não corremos riscos e também somos impedidos de ousar. A preguiça mental pode evitar confrontos, mas também pode limitar nossos sonhos. Por isso reforço a importância de desenvolver o autocontrole, o ponto de equilíbrio.

Um dos mecanismos mais práticos do sedentarismo ou preguiça mental é a generalização. Quando generalizamos, guiamos nossa consciência por um caminho fácil, bem pavimentado e que não nos impõe muitos desafios cognitivos. É mais fácil dizer "é difícil" e desistir, do que encarar todas as etapas de uma tarefa para realizá-la. No vocabulário do preguiçoso mental as palavras "difícil" e "complicado" ditam as regras para as escolhas que serão feitas. Em seu repertório estão frases como: "Esse trabalho é muito difícil", "Essa matéria é muito complicada".

A generalização nos leva à inação, que, convenhamos, tem seu lado positivo: não nos envolvemos em problemas. Contudo, também nos faz pagar um preço alto: não semeamos nem colhemos nada. Portanto, torna-se uma escolha que pode nos atormentar a longo prazo.

Algumas pessoas se tornam viciadas em não se esforçar porque no fundo sentem o peso de manter a mente focada. Por exemplo, muitos alunos, ao assistirem a uma aula, preferem gravar pelo celular tudo o que é dito e comentado. Dessa forma, permitem-se também baixar a guarda, ou seja, não prestar atenção. Eles sabem que poderão escutar tudo o que o professor disse depois, em casa ou durante os trajetos diários.

Outros estudantes preferem anotar tudo, palavra por palavra. E esses também cometem um erro: simplesmente transportam a informação de um lado para o outro, ou seja, da aula para o papel. E na memória, o que ficou gravado? Nada. Tanto o hábito de gravar quanto o ato de anotar a aula mantêm a mente totalmente sem foco durante as explicações e isso pode levar o aluno a outro problema típico da falta de concentração: o *retrabalho*.

RETRABALHO

Retrabalho não é uma palavra que você encontra no dicionário formal. É um termo utilizado nas empresas. É a simplificação do termo "refazer um trabalho", ou seja, o ato de fazer novamente uma atividade que não foi realizada com a qualidade esperada na primeira vez ou com erros causados por distrações.

Assim, aquele estudante que foi até a faculdade para assistir às aulas, mas preferiu deixar um gravador ligado registrando-a a fim de "facilitar a vida", ou seja, por preguiça mental, diminuiu o grau de atenção e, com isso, não reteve o conteúdo da aula. Agora, imagine que esse aluno gravou quatro horas de aulas. Qual será a consequência? Será passar mais quatro horas ouvindo tudo de novo por meio de um recurso que provavelmente não será capaz de fazê-lo entender.

O desânimo e a fadiga mental produzidos pelo retrabalho podem fazer com que o indivíduo busque ainda mais fontes de estímulo que apenas aumentam a falta de foco e concentração. Essas fontes são as tais fugas, como já vimos no tópico "O momento Candy Crush'", e as reclamações. E o que deveria ser um cenário de paz mental se transforma, agora, em uma atenção totalmente desgovernada.

ATENÇÃO DESGOVERNADA

Qual a melhor maneira de saber se você está ultrapassando os limites emocionais? Prestar atenção nas situações que mais exigem foco e concentração e perceber sua dificuldade em manter-se atento e dedicado a elas. A falta de concentração é sempre o primeiro sinal de que ultrapassamos nossos limites emocionais.

A neurociência já provou que o estado natural da mente humana é o estado de desatenção e não o de foco. Essa desatenção seria herança dos nossos antepassados, que precisavam estar alertas para os perigos de um mundo ainda inexplorado. Assim como nossos parentes do reino animal, que dirigem olhares e ouvidos para todos os lados buscando aquilo que representa oportunidade ou perigo, nós, seres humanos, desde os tempos das cavernas, seguimos o mesmo padrão de atenção desgovernada.

No passado, ter uma atenção desgovernada, ou seja, dirigida para todos os lados era útil para a preservação da vida. Entretanto, hoje, quando atingimos um relativo padrão de conforto e segurança, esse nível de atenção pode interferir nos resultados das tarefas. Entenda: a atenção é seletiva, isto é, você escolhe em que deve prestar atenção, porém, ela nem sempre é sustentada.

Você sabe em que deve prestar atenção, mas nem sempre consegue manter o foco por muito tempo. E quando um acontecimento é forte suficiente para tirar a sua atenção, seus mecanismos de memória são desativados. Quando falta concentração você inicia a segunda etapa do que chamo de *rota do esquecimento*, a etapa da dificuldade de memorização, em meu livro Os *10 hábitos da memorização* (Gente, 2009).

A memória tem uma ligação íntima com a concentração. Quando trabalham juntas, elas potencializam e aceleram a aprendizagem; quando se separam, instalam o caos, dificultando a realização de tarefas simples, como acompanhar uma reunião ou ler uma apostila ou um contrato.

Sem concentração, a memória de trabalho ou memória operacional não é abastecida, e você perde informações, semelhante a quando cai a conexão na internet. Assim, você:

- não consegue acompanhar a sequência do raciocínio que o seu interlocutor está compondo: "O que você estava dizendo mesmo?".

- não é capaz de lembrar a sequência de procedimentos descritos no memorando da empresa: "Ih, esqueci esta etapa".

- não se lembra do nome do cliente que acabou de cumprimentar em uma reunião de negócios: "Qual era mesmo o nome dele?".

A falta de concentração não só bloqueia o processo de memorização como também causa outro transtorno: os lapsos de memória. A nova estação da rota do esquecimento é marcada pela dificuldade de acessar memórias necessárias para a realização de tarefas. O nome mais conhecido para esse evento é lapso de memória ou simplesmente "branco na memória".

Sabe quando você está conduzindo aquela reunião de negócios e falta aquela "palavrinha" que completa o seu raciocínio? Ou quando no meio daquela entrevista de emprego você se esquece de metade do que tinha para dizer? O branco na memória sempre surge em momentos decisivos.

A falta de concentração produz dificuldade de memorizar e lembrar, mas mesmo nessas ocasiões você não pode se dar ao luxo de parar as suas atividades simplesmente porque está sofrendo alguns bloqueios de memória, não é verdade? Ao insistir em realizar tarefas sem as condições mnemônicas necessárias, há um gasto maior de energia que leva o cérebro a sentir a fadiga mental.

O que acontece quando alguém pega uma toalha e tenta enxugar um bloco de gelo? Nada! Na verdade ela apenas se cansará. Essa metáfora é utilizada para exemplificar aqueles momentos em que você insiste em realizar algo, mas não obtém o resultado desejado. Enxugar gelo cansa tanto quanto insistir em ler um texto sem concentração, assistir a um vídeo de treinamento sem o foco necessário ou somar os valores daquela planilha sem a atenção exigida. Quando insistimos em realizar tarefas sem concentração e memorização, sentimos como se estivéssemos enxugando gelo. O máximo que garantimos com isso é uma grande fadiga mental, um cansaço além do físico.

Quando a indisposição se instala, a melhor coisa a fazer é parar a tarefa, olhar para dentro de si mesmo e tentar entender a origem da indisposição a fim de saná-la, caso contrário você corre o risco de pôr tudo a perder e assistir à morte dos seus sonhos.

IMPRODUTIVIDADE: A MORTE DOS SONHOS

Uma mente desgovernada e recheada de pensamentos desconexos causa a paralisia do poder de realização. A pessoa ainda tem projetos, sonhos, objetivos, mas não tem força para realizá-los pois está perdida em seus devaneios. Desse modo, quando começamos a atender a estímulos que roubam alegremente nossa atenção, inicia-se o processo de morte dos sonhos.

Conheço, por exemplo, estudantes e advogados que precisam passar grande parte do dia debruçados sobre livros técnicos, porém, o fazem em um ambiente altamente estimulante, onde outras pessoas entram e saem, conversam, fazem barulhos insistentemente. Nesses locais, que deveriam ser santuários de leitura e meditação, muitas vezes encontram-se telefones, televisores e rádios sintonizados em programas musicais e comerciais atrativos de todos os gêneros.

Animais de estimação também vivem por perto, assim como as crianças, pedindo atenção até que a consigam. Postura inadequada, iluminação deficiente, temperatura incômoda, enfim, há uma infinidade de estímulos que os impedem de manter a mente focada na tarefa em questão. Assim, fica fácil perder o controle.

Segundo pesquisas realizadas nos Estados Unidos sobre interrupções, constatou-se que, em média, os estudantes não conseguem focar em suas tarefas por mais de dois minutos sem interrompê-las para escrever e-mails ou olhar as redes sociais.

No ambiente de trabalho, estima-se que a média de imersão dos colaboradores é de onze minutos sem interrupções.[9]

E o que significa ser interrompido a todo momento? Significa que você não está efetivamente fazendo o que deveria fazer! Em outras palavras, o volume de estímulos é tão grande que você não consegue avançar na tarefa e por isso perde produtividade.

A maioria dos leitores lê sem fazer qualquer tipo de preparativo. Lê de qualquer maneira, de qualquer jeito, em qualquer lugar e ainda espera obter máxima concentração. Isso porque em grande parte dos casos todo mundo está tão desesperado em dar conta das demandas que o faz "como dá".

O próprio ambiente de trabalho das grandes empresas e escritórios está matando a produtividade dos seus colaboradores. Aquele ambiente dos sonhos de grandes empresas de inovação do Vale do Silício, na Califórnia, como Google ou Facebook — onde as salas são coloridas e as reuniões acontecem em mesas de pingue-pongue, com ruídos de celular, músicas e movimento de *skates* —, cria uma órbita constante de interrupção de raciocínio e pode também gerar baixa produtividade.

É claro que é possível criar e inovar mesmo em um campo de batalhas, como o fez Descartes, mas é preciso separar os momentos em que uma boa ideia é gerada e os momentos em que ela deve ser executada. Produtividade tem a ver com execução, enquanto a criatividade e a inovação estão relacionadas a foco, concentração, meditação.

A mente humana carece de momentos de paz para poder externar seu potencial criativo, inovar e produzir a fim de concretizar

---

9. SULLIVAN, Bob. Students can't resist distraction for two minutes... and neither can you. *NBC News*, maio 2013. Disponível em: <http://www.nbcnews.com/business/consumer/students-cant-resist-distraction-two-minutes-neither-can-you-f1C9984270>. Acesso em: 20 ago. 2014.

tudo o que foi imaginado. Você não pode aceitar uma condição imposta pela sociedade atual que gira em torno do perigoso círculo vicioso: acordar, trabalhar, dormir. É preciso ter controle da própria vida e fazer a gestão das próprias escolhas, dos próprios pensamentos. Você deve colocar a mente a favor da sua saúde, do seu equilíbrio e dos seus sonhos. A seguir, vamos começar a jornada em busca do autocontrole, do equilíbrio e da paz mental tão necessários para a realização de sonhos.

CAPÍTULO 5

Os caminhos para a blindagem emocional

Quando uma situação abala o seu emocional e o deixa fora de controle, o que você faz para se acalmar? Pense sobre esses momentos e analise seu comportamento.

Para ilustrar, exemplifico o caso de uma pessoa que conheci e estava em uma situação inusitada e de forte abalo emocional. Enquanto seu marido tomava banho, chegou uma mensagem no celular dele. Ela resolveu olhar e descobriu naquele momento que o marido mantinha laços afetivos com outra mulher. Descobriu que o marido tinha uma amante. Como você reagiria em uma situação como essa?

Existem muitas maneiras de tentar restaurar o equilíbrio e manter o controle de uma situação. Algumas são mais adequadas, como um diálogo franco e direto — e isso realmente ajuda a controlar uma situação de crise —, outras, porém, são explosivas e só ajudam a pôr mais lenha na fogueira. A reação da mulher em questão, infelizmente, foi a explosiva.

Quando o marido saiu do banheiro, encontrou uma esposa descontrolada. Ela estava furiosa, chorando e extremamente agressiva com ele. Gritou muito, fazendo-o explicar o inexplicável. Atirou abajures, cinzeiros e outros objetos que encontrou pela frente. Esmurrou o marido e, passada a primeira explosão, ligou para a melhor amiga, buscando alguma palavra que lhe desse alívio.

O que você diria para uma pessoa com o estado emocional abalado por ter de enfrentar um drama como esse? A melhor amiga ouviu atentamente, indignada com a história, e, com a sobriedade de um experiente comandante que sabe exatamente como agir em batalhas difíceis, aconselhou: "Se fosse meu marido, eu matava!".

Felizmente, a amiga decepcionada não acatou o conselho e o final dessa história não foi a tragédia. O marido, bem mais controlado, conseguiu uma abertura para o diálogo, eles se acertaram e hoje vivem uma união forte, mais felizes do que antes. No entanto, não podemos deixar de imaginar o pior cenário, especialmente considerando que a esposa é uma pessoa extremamente reativa e atacar foi seu primeiro impulso quando viu a mensagem da amante.

Voltemos à pergunta do início: quando uma situação abala o seu emocional e o deixa fora de controle, o que você faz para se acalmar?

A verdadeira solução que a esposa traída encontrou para retomar o controle não foi atacar o marido, porque o ataque verbal e físico foi uma reação impulsiva, explosiva, caótica, enfim, totalmente descontrolada. Não havia uma tentativa de controle ali e, sim, uma descarga emocional.

Tome como exemplo o vapor que sai do pino da panela de pressão quando cozinhamos algum alimento. O calor aquece a água em estado líquido fazendo-a se expandir na forma de vapor, o que gera uma forte pressão dentro da panela lacrada. Quando a pressão atinge certo limite, aciona a válvula de escape na tampa. Se não houvesse essa válvula, a panela explodiria.

De modo semelhante, temos a descarga emocional. Quando uma situação abala nossos limites emocionais, nosso organismo procura uma válvula de escape. Algumas pessoas aliviam a pressão atacando, como no exemplo da esposa traída — o que pode levar a consequências fatais, como constatamos todos os dias nas manchetes de jornalismo policial. Outras vezes, a pressão é aliviada através do grito ou do choro incontrolável.

No entanto, a pior descarga emocional não é o ataque, o grito ou o choro como defesa, mas a explosão interna ou implosão, isto é, quando a pessoa se fecha e usa uma energia imensurável para diminuir a raiva que sente. Na maioria dos casos, é muito melhor que a descarga emocional venha através do ataque ou do choro, pois o preço a pagar pela explosão interna é a própria saúde, o que compromete a sua vida.

Assim, a descarga emocional não é uma forma de controle, mas uma reação a algo que nos pressiona. Portanto, onde, então, a esposa traída buscou o autocontrole?

Nesse caso, ela o fez quando ligou para a melhor amiga. O telefonema foi um modo legítimo de restaurar o controle. Embora o conselho da amiga não tenha sido o mais adequado, falar com alguém a respeito de como ela se sentia a fez olhar para dentro, analisar a situação. Mesmo inconsciente de quão importante era aquela atitude, ajudou-a a restaurar o controle emocional. Depois da breve conversa com a amiga, ela pôde ouvir o marido e conseguiu contornar melhor a situação.

QUEM DETERMINA A SOLUÇÃO ATACA OU FOGE?

Certa vez, ouvi uma pessoa dizer: "Sempre que você estiver com raiva, procure a natureza. Você não consegue sentir raiva olhando para o verde das árvores e plantas". E estudos sobre a psicologia das cores realmente constataram que a cor verde tem a capacidade, sim, de acalmar mentes agitadas. Contudo, quem tem o discernimento de procurar a natureza e ficar olhando para uma moita de folhas verdes em um momento em que a fúria fala mais alto?

Para dizer a verdade, existe um tipo de pessoa que tem sangue-frio suficiente para lembrar-se das folhas verdes ou de respirar fundo ou de contar até dez antes de tomar uma atitude explosiva. Pessoas assim são justamente as que demonstram ter grande potencial de autocontrole.

Sabe quem são essas pessoas controladas? São justamente aquelas que explodem para dentro. Que contêm a descarga emocional e a aprisionam internamente. Talvez a essa altura você possa estar pensando: "Não é a forma mais perigosa de reação?", "Não é a que mais adoece as pessoas?". As respostas para essas perguntas são sim e não.

Por exemplo, eu sou uma pessoa muito introvertida. Sou do tipo que seria incapaz de responder ou atacar física ou verbalmente alguém que me fez algum mal. Também nunca fui o tipo que gostasse de chorar em público quando alguém me decepcionava, negava ou me frustrava. Sempre contive as minhas descargas emocionais dentro de mim. Sempre, até o dia em que essa atitude resolveu cobrar seu alto preço.

Aos 30 anos, apareceram do lado direito do meu pescoço duas pequenas marcas vermelhas bem próximas uma da outra. Marcas que doíam e coçavam muito. Pelo formato e pelos sintomas, imediatamente pensei se tratar de uma picada de inseto, uma aranha talvez. Não me incomodei. Na manhã seguinte eram quatro marcas, e foram aumentando dia a dia e doendo cada vez mais.

Depois de passar por dois médicos, descobri que se tratava de uma doença chamada herpes-zoster, uma doença que se aloja na fina capa que protege todos os nervos que se ramificam em nosso corpo. Na região em que a doença se instalou e dada a sensibilidade dos nervos, qualquer movimento do corpo produzia uma dor insuportável. A doença atacou exatamente a região dos nervos da nuca e a dor de cabeça que eu sentia era como se alguém enfiasse uma agulha em meu cérebro. Felizmente, fui tratado por um ótimo médico, que, em poucos dias, resolveu meu problema. Contudo, o que me chamou a atenção em todo esse sofrimento foi a lição que aprendi com ele. O que fez com que a herpes-zoster se desenvolvesse foi o estresse.

Naquela época, estava no auge da minha carreira. Tinha acabado de estabelecer o primeiro recorde brasileiro de memória, lançava meu segundo livro, viajava o país inteiro, concedia dezenas de entrevistas para rádios e jornais, fazia demonstrações de memória em cursos presenciais e ao vivo em programas de televisão, e ainda tinha de administrar uma empresa com vários funcionários.

Eu tinha uma rotina que quase não me deixava dormir ou me alimentar direito. Era extremamente desgastante, muito estressante. E todo aquele estresse era contido à força e anulado dentro de mim. Até que um dia a panela explodiu da maneira mais dolorida possível e, segundo o médico, se o estresse não se manifestasse daquela forma, provavelmente seria de outras, que poderiam, inclusive, me matar.

Confesso que daquele episódio em diante eu procurei ajuda. Conversei com especialistas, fiz um tempo de meditação, li dezenas de livros e a maioria dos conselhos me obrigavam a agir de um jeito que ia totalmente contra a minha natureza.

A grande verdade é que uma vez introvertido, sempre introvertido. Os melhores conselhos que os especialistas me davam diziam que eu deveria, sim, gritar, xingar, brigar, lutar, atacar, chorar como uma forma de descarregar aquela emoção nociva que neutralizava dentro de mim. No entanto, é fácil falar para um introvertido explodir com alguém, difícil mesmo é vê-lo fazer isso.

Assim, percebi que aqueles conselhos só aumentariam ainda mais o débito com minha consciência, minha saúde, enfim, comigo mesmo. Se eu quisesse de fato preservar minha saúde, manter o equilíbrio e algum grau de autocontrole, deveria fazer isso sozinho. Daquele dia em diante continuei respeitando a minha natureza, continuei anulando aqui dentro minhas descargas emocionais, porém, a diferença é que agora eu era um espectador e, com disciplina, comecei a estudar minhas reações.

Assim como quando cozinhamos um alimento numa panela de pressão lacrada existe um período de tempo entre a formação do vapor e a pressão extrema que faz o bico da tampa girar e descobri que também existe um bom período de tempo antes de a descarga emocional contida causar algum dano à nossa saúde. Um momento que passa como se fosse um filme em câmera lenta, dentro de nós, sobre tudo o que está causando o estresse. Um tempo extremamente hábil para que você possa pegar aquela energia negativa e dar a ela um novo significado, minimizando ou até mesmo neutralizando totalmente seus efeitos negativos.

Essa capacidade de olhar para o interior de mim mesmo, assistir ao filme e escolher o final mais adequado e benéfico para minha saúde e minha vida, é o que passei a chamar de *autocontrole*.

O autocontrole é um movimento do bem. É uma resposta forte do anjo contrapondo-se aos conselhos do diabo. É uma forma nem sempre reconhecida como nobre aos olhos cegos de impaciência, vingança, rancor ou ódio das outras pessoas, porém, a maneira mais edificante de tornar a vida mais leve e gostosa. A transformação da emoção negativa em emoção neutra ou emoção positiva só é possível quando olhamos para dentro e investigamos a origem das nossas reações emocionais, a origem dos nossos pensamentos.

COMPREENDA OS PENSAMENTOS

Entre as diversas soluções de que dispomos para desenvolver o autocontrole e que ainda serão ensinadas ao longo deste livro, está o *metapensamento*. O metapensamento é como o policiamento preventivo.

A melhor maneira de garantir a segurança da população de uma cidade é fazendo o policiamento preventivo. Essa modalidade de ação permite ao policial estar sempre à frente dos bandidos, evitando que eles causem estragos.

A palavra *meta* vem do grego e significa "ir além". Quando juntamos "meta" com "pensamento" temos, então, o termo *metapensamento*, que significa "ir além dos pensamentos". Em outras palavras, olhar, analisar, vigiar, compreender os pensamentos que nos acometem. Essa é a essência e a mais bela e nobre função da mente humana.

Quando você vigia os pensamentos como a polícia preventiva faz ao promover uma ronda, consegue estudar e entender melhor quais são os padrões de pensamentos a que a mente recorre quando busca soluções para os problemas.

No exemplo da esposa traída, que encontrou mensagens da amante no celular do marido, a descarga emocional foi xingar, atirar coisas e agredir o marido, mas a maneira que ela encontrou de tentar restaurar o equilíbrio foi ligar para a melhor amiga.

A base dessa decisão, ligar para a amiga, poderia ter surgido em sua memória, pois, ao analisar a cena, lembrou-se de outras ocasiões difíceis em que também recorrera à mesma solução: conversar com alguém.

Assim, temos o cérebro humano como casa do pensamento e a memória como o parque de diversões da inteligência. O cérebro humano é uma usina de força, e a memória e o pensamento são os combustíveis. O pensamento, seja ele totalmente novo ou fruto de uma lembrança, tem força suficiente para alterar a química e os estímulos elétricos do cérebro. E o reflexo dessa mudança é visível nos monitores das grandes máquinas de ressonância magnética, mas também a olho nu, se você começar a prestar atenção na reação do outro. Veja a lógica a seguir:

> Pensamento gera sentimento > Sentimento gera comportamento > Comportamento gera resultado

Essa premissa foi observada por Aristóteles em 384 a.C. e significa que nosso estado interno, a maneira como você pensa, pode interferir diretamente em seus resultados. Então, se, em vez de explodir em uma forte descarga emocional, você escolhe conter essa energia, mas logo pensa em um novo significado que minimize ou neutralize totalmente seu impacto, você exerce o autocontrole. O autocontrole restaura seu equilíbrio, melhora seu foco e libera energia para agir com inteligência.

Se a mente humana é um picadeiro, você é quem deve dirigir o espetáculo e o metapensamento. E esse lapso de consciência que nos acomete é como a fresta que surge em um dia de céu nublado permitindo a entrada dos raios solares. E nesses momentos de lucidez temos a oportunidade de assumir o controle, fazer melhores escolhas e viver em paz.

Portanto, autocontrole não é como um remédio que tomamos em horas programadas com o objetivo de curar essa ou aquela doença. Autocontrole é o ATO de tomar o remédio. É a capacidade que você tem de escolher o remédio para o problema que o aflige. Se você está com dor de cabeça ou com dor de barriga, toma remédios diferentes. O autocontrole é o momento da escolha do melhor remédio; e um bom remédio, como você sabe, pode proteger suas emoções e mudar sua vida.

PROTEJA AS EMOÇÕES

Onde você gostaria de estar agora, neste exato momento?

Em um dos meus seminários sobre foco e atenção pedi que as pessoas escrevessem em uma folha a resposta para essa pergunta utilizando uma só palavra.

Ao ler as respostas, percebi que muitas delas remetiam a lugares do mesmo gênero. Casa, família, sofá, cama foram algumas das recebidas, entretanto, a maioria das respostas refletia o desejo daquelas pessoas de ficarem só junto à natureza: praia, bosque, floresta, ilha foram as respostas mais comuns.

É em contato com a natureza que restauramos nosso equilíbrio, obtemos paz mental e permitimos que a mente encontre as soluções mais inovadoras para os problemas. Quando estamos em sintonia com a natureza, conseguimos proteger nossas emoções contra estímulos negativos que a vida, principalmente urbana, nos oferece. Nós nos protegemos contra a irritante poluição sonora e visual, nos libertamos das preocupações e, por algum instante, esquecemos tudo. É uma conexão legítima com aquilo que realmente somos, ou seja, parte da natureza. Nesses lugares, encontramos a paz, ao olhar para a criação nos lembramos do Criador e, principalmente, dos seus princípios. Ao lembrarmos os valores dos homens de bem, ao pautar nossas escolhas nos valores cristãos, temos a oportunidade de escolher os pensamentos que povoarão a nossa mente.

O grande desafio para obter o autocontrole e com ele a paz mental e o foco naquilo que realmente importa está em vasculhar nosso íntimo. Investigar a origem do que nos aflige, nos deixa ansiosos, tristes, deprimidos e paralisados. Quando desejamos fugir para uma praia, um bosque ou uma ilha deserta, quando preferimos brincar com uma criança ou com um animal de estimação, tentamos com isso restaurar nosso equilíbrio. E o que estamos fazendo, na verdade, é tirar o foco da fonte de todos os pensamentos negativos, de toda a ira, ou seja, tentamos nos afastar da origem dos problemas.

A solução para que você possa gerenciar e selecionar os pensamentos, fazer as melhores escolhas, restaurar o equilíbrio e ter paz mental para manter o foco no que realmente é importante está em construir uma blindagem emocional. Essa blindagem emocional deve protegê-lo dos pensamentos tóxicos, reações explosivas e comportamentos viciosos que o fazem perder o controle e dar respostas automáticas e impensadas, gerando apenas mais crises.

O caminho para a paz mental passa pelo processo de auto-observação através do metapensamento. É usar com inteligência aquele sagrado momento de lucidez entre o estímulo que nos machucou e a ebulição do disparo emocional para mudar a energia, criando uma atmosfera mental capaz de neutralizar os efeitos nocivos do descontrole emocional. O que exatamente devemos fazer nesse espaço de tempo? Como acalmar a mente e transformar caos interno em controle, reatividade em cautela e sabedoria? São as respostas para essas perguntas que abordaremos nos capítulos a seguir.

CAPÍTULO 6

Reação inteligente: criando relações saudáveis

O caminho para o autocontrole nos ensina que devemos ser pessoas de fácil comunicação. A capacidade de se comunicar bem permite mover-se com tranquilidade rumo aos seus objetivos. Pense com cuidado e responda: Você acredita que tudo o que tem está ligado intimamente ao seu estilo de comunicação? Caso tenha respondido que não, devo alertá-lo que, na verdade, tem, sim.

Tudo o que conquistou, esteja você satisfeito ou não, está diretamente ligado à sua comunicação. Portanto, qualidade de vida é qualidade de comunicação. E uma comunicação de qualidade é condição necessária para quem almeja autocontrole. Essa premissa vale tanto para a comunicação interna, quando nos comunicamos com nós mesmos, quanto para a externa, quando interagimos com outras pessoas.

A comunicação interna é produto de nossa interação com o mundo, ou seja, quando recebemos um estímulo, o cérebro avalia, ativa a memória, confronta com as crenças e os valores já estabelecidos e depois emite uma resposta que pode ser verbalizada (comunicação externa) ou permanecer nos domínios da mente (comunicação interna).

Avalie a seguinte situação: você é católico e faz parte de uma família tradicional na qual todos são católicos desde criança. Certo dia, porém, você encontra um grande amigo que o convida para fazer parte de outra religião, a umbanda, por exemplo. Você sabe que um convite para a umbanda não se faz a qualquer pessoa e, se seu amigo o convidou, é porque tem muita consideração por você e ficaria muito honrado se aceitasse. Então, ele fica à espera da sua resposta já para a semana seguinte. O que temos aqui:

1. Você estava com sua mente tranquila e bem resolvido nos assuntos religiosos até então.

2. Surge um convite inusitado e delicado de se recusar (um *input*, estímulo externo).

3. Sua mente avalia a proposta, precisa fazer uma escolha e dar uma resposta.

4. Sua mente consulta a memória e verifica suas crenças e seus valores a respeito da religião católica e do que seu amigo explicou a respeito da maçonaria.

5. Inicia-se um dramático diálogo interno e a mente que estava tranquila agora tem de resolver um grande problema.

6. Você tem de dar uma resposta ao amigo (*output*). Responder imediatamente implicaria encerrar o debate interno e essa nova preocupação. Protelar dizendo que vai pensar no assunto e dar a resposta na semana seguinte mantém o desgastante debate interno.

Note que nessa situação descrita aconteceram dois tipos de comunicação: a interna e a externa. Ambas foram geradas pelo mesmo estímulo, um convite. A forma como respondemos a essa interferência pode preservar a paz que até o momento imperava ou iniciar um processo de tomada de decisão que pode se arrastar por dias e ser muito desgastante. Por isso, é preciso observar como nos comportamos (metapensamento) diante dos estímulos para evitar o sofrimento na tomada de decisão. Por exemplo, para um convite delicado como esse existem três possíveis saídas:

Aprender a dizer não
Se você está satisfeito com o grupo religioso a que pertence, poderia encerrar o assunto no ato do convite agradecendo a consideração e explicando gentilmente que, no momento, está satisfeito com a religião à qual pertence. Caso encerrado.

Ter a mente aberta para novas experiências
Aceitar o convite de imediato e se atirar de cabeça nessa nova experiência religiosa, sem receios, sem contestações. Aceitar o convite pelo simples ímpeto de experimentar o novo com a possibilidade de voltar atrás sem se sentir culpado.

Protelar
Nesse caso, talvez seja a pior escolha, pois deixar para responder depois o que já está decidido (supondo que a resposta seja "não") vai apenas gerar preocupação, angústia e criar uma expectativa no amigo que espera que sua decisão seja positiva.

Se você escolhe a primeira opção, dizer "não", pois está satisfeito com a sua religião, então o desgaste de energia será menor, sua mente permanecerá como estava, ou seja, tranquila, e o seu foco será direcionado a outros eventos que naquele momento pedem mais atenção. Dizer "não" é uma comunicação externa, mas que não excluiu a necessidade de processamento do estímulo, ou seja, da comunicação interna. E é nesse sagrado momento de lucidez, entre o estímulo que recebemos e a ebulição dos nossos estados emocionais, que temos o poder de decidir, ou seguimos em frente ou cortamos o problema pela raiz imediatamente.

Assim, se você me pedisse um método para manter a mente em paz e preservar o controle de sua vida, eu diria sem sombra de dúvidas: aprenda a dizer "não".

Aprenda a dizer "não" a certos convites que:
- a vida nos faz;
- os amigos nos fazem;
- os familiares nos fazem;
- as empresas nos fazem;
- os aplicativos viciantes nos fazem.

São convites que no fundo não podemos aceitar, cuja mera ideia de aceitá-los não suportamos, mas para os quais às vezes dizemos "sim". E como não sabemos dizer não, não sabemos bloquear esses estímulos nocivos, são criados, então, mais compromissos, mais atividades, mais tarefas e mais vícios. Agir desse modo nos faz assumir responsabilidades que não acrescentam, apenas sugam a energia vital. Sugam o tempo, sugam a vida. Aprender a dizer não com firmeza sem perder a docilidade é mais do que uma escolha, é um ato da mais elevada sabedoria.

Vimos até aqui diversos fatores que geram distração, perda de foco e afetam a produtividade. Excesso de informação, escolhas erradas, hábitos e pensamentos negativos. Vimos que o ambiente e as nossas escolhas têm um papel fundamental no estímulo do cérebro e dos estados mentais. Existem também diversas maneiras de acalmar a mente e atingir o autocontrole. Respirar fundo, contar até dez, fazer atividade física, praticar ioga e meditação ou contemplar a natureza são comprovadamente soluções eficazes.

Entretanto, aprendi que, assim como tomar um remédio para determinados tipos de dores de cabeça cura apenas os sintomas, não a causa, essas técnicas para acalmar a mente também funcionam bem como paliativos para uma mente agitada, mas nem sempre corrigem a causa do descontrole emocional.

Se, por exemplo, você estivesse satisfeito com a religião que frequenta e seu melhor amigo o convidasse para conhecer outra, você poderia imediatamente cortar o problema pela raiz, ou seja, agradecer e explicar gentilmente que não deseja mudar e encerraria o caso. No entanto, se, por receio de chatear a outra pessoa, você se compromete a pensar e responder em uma semana, então nem fazendo meditação conseguirá eliminar a causa, pois o problema já está instalado.

Saber "dizer não" é, portanto, um método simples e eficaz para manter a sua mente em paz e preservar o foco no que realmente importa. Contudo, quero dividir com você outras soluções que antecipam os problemas e normalmente encerram os conflitos antes mesmo de começarem.

Entenda: quando você deseja estar em uma ilha deserta, na verdade você quer fugir dos problemas que o estão pressionando. E se você se livra dos problemas indo para uma ilha deserta, então significa que, na maioria das vezes, eles estão nos relacionamentos afetivos, sociais e profissionais.

Você estava com a mente tranquila, mas chegou alguém e fez um convite. Você estava satisfeito com seu emprego, mas aceitou a proposta de largar tudo e começar uma sociedade. Você estava com as finanças em dia, mas concordou em financiar um luxuoso carro novo. Você estava quieto em seu canto, mas aceitou o pedido para ser fiador do aluguel daquele parente que vive enrolado.

As pessoas são como os relógios do Eduardo. Todas essas "roubadas" nas quais nos envolvemos têm como pano de fundo o círculo de indivíduos com quem convivemos. Evidentemente, sabemos que esse é o preço de viver em sociedade e é por isso também que, quando o seu círculo social começa a sugar suas energias exigindo que viva sob pressão na maior parte do tempo, você deseja que todos desapareçam ou pensa na opção de se isolar em uma ilha deserta.

A solução fundamental para atingir o autocontrole está na condução das relações humanas; está na habilidade de compreender e lidar com as pessoas. "Dirigir homens é uma ocupação trabalhosa" — essa observação foi feita no século XVII por um dos mais influentes escritores do barroco espanhol, Baltasar Gracián, ícone de sua época. Ele tinha autoridade para fazê-la, pois foi um observador dedicado do comportamento humano. E, se naqueles tempos era custoso conduzir pessoas, hoje, com o liberalismo, os valores morais totalmente esquecidos e os padrões de comportamento ditados por pessoas de intenção duvidosa, tal empreitada torna-se muito mais complexa.

O autocontrole pode ser conquistado quando melhoramos nossa habilidade no trato com as pessoas, porque, aprendendo a lidar com a causa, o efeito não se concretiza. Assim, você preserva a paz mental.

Então, eu o convido a investigar a raiz de certos problemas de relacionamento no intuito de experimentar e estabelecer a verdadeira harmonia dos estados mentais. Vamos transformar aquele momento entre o estímulo recebido e a ebulição dos disparos emocionais em momentos de refletir antes de reagir, de pensar antes de responder, de preservar a ordem das emoções e o controle.

As pessoas equilibradas sofrem muito menos do que os outros, porque suas decisões são lúcidas, bem pesadas e, portanto, em seu ponto de vista, são as escolhas certas.

VEJA COM OS OLHOS DA BENEVOLÊNCIA

É possível que você já tenha ouvido falar de pessoas difíceis. Talvez até mesmo conheça ou conviva com algum tipo de pessoa resistente a tudo o que você pensa, fala e faz. Como você reage a esse tipo de pessoa? Como lida com esse comportamento que representa muitas vezes um obstáculo na sua jornada rumo à realização de seus projetos e sonhos?

Muitas vezes, a posição de resistência de uma pessoa difícil é tão forte que altera nosso humor, fazendo com que percamos o controle e soframos um disparo emocional negativo. É como se ela fosse um goleiro que desvia todas as suas jogadas e o impede de fazer o gol e seguir em frente.

Pessoa difícil é toda aquela (e nisso incluo você e eu) que reage contra alguém ou contra alguma situação que a está pressionando. Ninguém nasce difícil. As pessoas simplesmente adotam uma postura complexa porque reagem contra algo que as deixa em situação desconfortável. As pessoas NÃO SÃO, elas eventualmente ESTÃO difíceis. Os homens são especialistas nesse tipo de comportamento. Na relação marido e mulher ou entre pais e filhos, muitas vezes o homem se fecha e cria resistência quando algo não vai bem.

Estive diante de uma situação como essa quando, durante o intervalo de um *workshop*, fui abordado por uma mulher visivelmente aflita que relatou um fato que a estava incomodando: "Você pode conversar com o meu pai? Ele deve estar com algum conflito: conversa pouco com os filhos, vive se queixando das coisas, nada para ele está bom. Isso tem me incomodado muito. Ele parece estar sempre de mal com a vida. Eu não o entendo!".

Fica claro nesse exemplo que a filha estava apontando para o comportamento que a incomodava no pai e produzia na mente dela um constante estado de preocupação e aflição, um peso que ela levava para todos os lugares, incluindo trabalho e estudos. E, provavelmente, esse estado de preocupação tirava seu foco e influenciava sua produtividade e seus resultados. Como ela poderia reagir nesse caso?

A resposta está naquele momento sagrado que já abordamos anteriormente aqui. Aquele momento entre o estímulo e a ebulição, o evento (*input*) e o disparo emocional (*output*). É nesse momento que entra a energia do autocontrole, uma energia que pratico a maior parte do tempo e que me mantém estável diante das situações mais caóticas. Chamo essa energia de "Olhar da Benevolência" e que podemos também chamar de "Olhar de Cristo". Afinal, independentemente das crenças religiosas de cada um, todos entendemos como a figura de Cristo e seus ensinamentos foram e são importantes para a história da humanidade. Então, a pergunta que deve ser feita naquele momento entre o estímulo e a ebulição é: Como Cristo agiria em uma situação como essa?

Cristo é o personagem que sempre nos ensinou muitas lições, e, entre as mais importantes, temos o altruísmo, o desprendimento, a paciência, o amor ao próximo, a amizade, a humildade. Então, como Cristo olharia para o pai da minha aluna?

O conflito interno ao qual os estímulos nos submetem e que gera no picadeiro da mente o embate entre o anjo e o diabo, cada um apresentando fortes argumentos para nos induzir a fazer escolhas, é que deve ser valorizado. Aprendi que é exatamente naquele momento que devemos calar a voz do anjo e do diabo e pensar em como Cristo agiria naquela situação, qual seria a atitude de benevolência capaz de resultar no que realmente é melhor e provoca o bem maior. Quando você coloca no picadeiro da mente esse novo personagem, sua luz ofusca o anjo e o diabo, e você analisa a situação sob um novo prisma. Um prisma único e capaz de induzi-lo a reações que antes seriam improváveis.

Assim, se olhássemos o conflito entre o pai e a filha com os olhos da benevolência, provavelmente aprenderíamos que não devemos julgar uma pessoa pelo seu comportamento. As pessoas não são o comportamento que emitem, elas apenas reagem a estímulos. É como a história do leão furioso que tinha uma farpa de madeira espetada na pata. A fúria se devia à dor que ele sentia. E o pai provavelmente estava reagindo a algo que o pressionava. Felizmente, tive a oportunidade de conversar com ele no almoço, no dia seguinte. Ele revelou que estava com uma doença grave e estava aos poucos se afastando dos filhos, diminuindo a dependência deles da proteção do pai. Uma proteção que ele acreditava que não teria mais condições de oferecer em breve.

Olhar o comportamento das pessoas acreditando no melhor de cada um o mantém em uma posição diferenciada e eu até diria privilegiada, pois, preservando valores como paciência, compreensão, benevolência, valoriza-se o próprio ser humano. Veja outro exemplo.

Pai e filho caminhavam juntos até a banca de jornal. Chegando ao local, o pai cumprimentou amavelmente o jornaleiro, que, além de não retribuir a gentileza, ainda entregou-lhe o jornal de modo rude e grosseiro, sem pronunciar uma palavra sequer. O pai sorriu e desejou um bom fim de semana ao homem. Quando os dois retornaram para casa, o filho perguntou:

— Pai, ele sempre o trata com tamanha grosseria?

— Infelizmente, é sempre assim, meu filho.

— E você é sempre tão gentil e amigável com ele?

— Sim, sou.

— E por que você é tão educado, já que ele é tão indelicado com você?

— Porque não quero que o humor dele determine como eu devo agir.

Toda vez que você focaliza um comportamento negativo, apenas o reforça. Talvez a mente do filho já estivesse inundada com exemplos negativos de reação contra o jornaleiro, que expressou um comportamento difícil. Talvez o filho nunca tenha tido oportunidade de conhecer os valores fundamentais do ser humano, como a compaixão e a paciência, por exemplo, que o pai exerceu habilmente naquela situação evitando uma crise com o jornaleiro.

Você deve conhecer casos de amizades de longa data que acabaram simplesmente porque um dia a outra parte apresentou um comportamento difícil. Julgar uma pessoa como se ela fosse o próprio comportamento só vai reforçar suas atitudes que ferem e magoam das mais diversas maneiras, pois, do mesmo modo como você reage contra pessoas com comportamentos difíceis, as outras pessoas também reagem a você. Portanto, ao adotar um comportamento grosseiro, poderá receber também grosseria. E o contrário é verdadeiro: se alguém lhe oferecer docilidade, não lhe custará retribuir, pelo menos, a cortesia. Não é mesmo?

Olhar o comportamento das pessoas com os olhos da benevolência não é um exercício ou uma técnica. Trata-se de um compromisso com sua qualidade de vida, com um ambiente de trabalho mais harmônico. Trata-se de um modo inteligente de ver a vida e manter o controle em situações de crise. Evidentemente, muitas pessoas acharão um comportamento antiquado e careta. No entanto, eu o asseguro de que essas pessoas estão anestesiadas mentalmente, vivendo no modo automático que dita que para cada ação cabe uma reação impensada.

As pessoas se esqueceram de que é preciso refletir antes de reagir, pois uma resposta automática, um disparo emocional serve apenas para agravar ainda mais uma situação, provocando rancores, tristezas e um isolamento social ainda maior. Dalai Lama nos ensinou: "A não violência é uma atitude especificamente humana. Ela repousa no diálogo, na compreensão e no conhecimento do outro, na aceitação das diferenças, na tolerância e no respeito mútuo. É motivada por um espírito de abertura e de reconciliação".

***

Agora que entendeu as causas da dispersão, da falta de foco e da improdutividade, e deu-se a chance de olhar através de um novo ponto de vista não só o seu comportamento como também o das pessoas que fazem parte da sua vida, vamos ao método que o ajudará a ter autocontrole.

Quando temos essa importante ferramenta, todos os aspectos da nossa vida estão de acordo com aquilo que sonhamos e precisamos. Foco e disciplina estão associados à sua habilidade em manter seus sentimentos e emoções sob controle, evitando que se percam em devaneios desnecessários e negativos.

CAPÍTULO 7

As metas para desenvolver o autocontrole

Para desenvolver o autocontrole, você deve priorizar o bom convívio social. Empatia é a tendência para colocar-se no lugar do outro e procurar sentir o que ele está sentindo, caso estivesse na mesma situação e circunstâncias experimentadas. Fazer o exercício mental de tentar se colocar no lugar da outra pessoa é desafiador, entretanto, é um desafio que vale a pena, pois com isso você aprimora suas qualidades.

A seguir, você encontrará onze metas de autocontrole que o ajudarão a enfrentar confrontos e crises nas relações pessoais e, com isso, estabelecer um ambiente mental livre daquelas pressões profissionais e afetivas que normalmente orbitam a mente humana, criando desequilíbrio e perda de foco.

São onze metas simples e que não necessitam de exercícios e, sim, de comprometimento com seu maior objetivo, que é manter o controle da sua atenção para aquilo que realmente importa.

META 1 — EVITE COMPARAÇÕES

Quem, na infância, não ouviu a pergunta: "Espelho, espelho meu, existe alguém no mundo mais bela do que eu?". A rainha malvada do conto *Branca de Neve e os sete anões* passou a vida toda até sua morte recebendo do seu sincero e confidente espelho sempre a mesma desapiedada resposta: "Branca de Neve é a mais bela entre as mulheres".

O sonho da rainha era ser considerada a mais bela entre todas as mulheres, por isso desejava ver sua rival aniquilada. Se Branca de Neve não existisse, o degenerado espelho teria mais consideração por ela, afinal, a rainha malvada não era feia. A megera envenenou Branca de Neve com uma maçã, mas isso não adiantou. A formosa invejada despertou do sono com o beijo de um príncipe apaixonado.

E mesmo que trouxéssemos essa história para a atualidade, e a rainha frequentasse os melhores centros de estética, malhasse durante horas, mudasse a cor dos cabelos, turbinasse os seios e aprendesse dança do ventre, continuaria ouvindo a dura frase: "Branca de Neve ainda é a mais bela".

Ela poderia quebrar o espelho, chutar a penteadeira, despedir o maquilador, contratar o Doutor Rey. A questão ainda permaneceria. O que a rainha malvada não entendia é que a protegida dos sete anões era o seu pior espelho. Toda vez que olhava para o sedutor rosto da Branca de Neve, a rainha reconhecia as próprias imperfeições. E morreu sem ter realizado seu grande sonho.

As pessoas são como espelhos. Através delas percebemos nossas melhores qualidades, mas também nossos piores defeitos. Observe com atenção um grupo de dança durante uma apresentação. Mesmo sincronizadas, de vez em quando uma delas discretamente observa as outras para saber se está no passo e ritmo certos. As outras dançarinas são espelhos que a ajudam a melhorar o que estiver errado. Por meio da observação do próximo e seguindo os códigos sociais de conduta, você é capaz de reconhecer quem é, como se comporta e se está agindo certo.

Estudar os outros é uma maneira silenciosa de avaliar nossas reações, corrigir as eventuais falhas e manter o controle. Todavia, nem todos têm a mesma reação diante desses espelhos humanos. É fácil encontrar pessoas sofrendo excessivamente por distorcerem aquilo que refletem nos semelhantes. O ambiente de trabalho é um bom exemplo. Quando um funcionário inseguro observa o comportamento de um colega cujo desempenho é insatisfatório, pode pensar: "Ótimo, eu sou melhor do que ele". Se, ao contrário, o outro é melhor, então ele se aborrece e, como a rainha malvada, sente vontade de quebrar o espelho que lhe mostra aquilo que ela não gostaria de ver.

Viver em sociedade é de certa forma viver em comparação. Algumas pessoas cruzam seus olhares e se comparam. Naturalmente, das comparações surgem constatações, que, quando mal interpretadas, geram angústias, frustrações, irritações ou prazer. Por exemplo, na comparação das idades, quando alguém é mais novo, existe a tendência do pensamento: "Estou ficando velho". Ao comparar-se com pessoas mais velhas e que usam trajes despojados: "Ridículo. Este velho está se achando…".

É necessário todo cuidado quando nos comparamos com outras pessoas, pois podemos experimentar sentimentos de desejo ou inveja. A rainha malvada concluiu que estava longe de obter a beleza equivalente à de Branca de Neve. O resultado: inveja, frustração e sofrimento tornaram-se pensamentos frequentes e viciosos. O problema nunca está no que se observa, mas em como interpretamos o que é observado. Aqui novamente entram em cena o anjo e o diabo no picadeiro da mente.

Existem as comparações que produzem sentimentos positivos e nobres, como amor, compaixão, altruísmo e cooperação, para citar alguns. Pode-se olhar para um bêbado pedindo esmolas no semáforo e emitir um julgamento: "Que vagabundo!". Ou, movido por um sentimento nobre, dizer: "Eu posso ajudá-lo a sair dessa triste vida, meu irmão".

A identificação de aspectos positivos das comparações pode também resultar em vaidade, orgulho ou prepotência, enquanto aspectos negativos podem gerar depressão, tristeza e sofrimento. Portanto, a melhor saída é não comparar, pois olhar para os espelhos humanos, os quais nos cercam e não sofrer, requer muita lucidez, serenidade e prudência.

Olhar como os outros se comportam nos fornece diretrizes, regras de conduta e nos ajuda a estabelecer metas. As crianças fazem isso. É como se dissessem: "Mostre-me o que eu devo fazer". Isso é bom! O problema é quando nos limitamos a observar e não agimos. Por isso é necessário ter iniciativa para mudar.

Uma meta para o autocontrole é, na medida do possível, não fazer comparações. Os olhos da comparação não devem aderir ao calor do julgamento moral ou estético, mas sim da empatia do coração. Agindo assim, conquistará um nível de aprimoramento surpreendente nas relações interpessoais e terá paz aumentando o foco nas atividades que realiza. Permanecer longe da necessidade da comparação é viver sem ter de se comportar como a infeliz rainha do conto da Branca de Neve.

META 2 — FAÇA SUA PARTE SEM ESPERAR NADA DE NINGUÉM

Quando estamos revoltados, chateados, decepcionados com alguém, há sempre uma avó bondosa, uma irmã prestativa ou um amigo sincero que nos orienta: "Pare de brigar e trate os outros como você gostaria de ser tratado".

Então, você passa a seguir esse conselho e trata todos da melhor maneira possível. Torna-se dedicado, prestativo, compreensivo, companheiro, zeloso na tentativa de agradar e age de acordo com a boa educação. Entretanto, quando chega a sua vez de ser bem servido, atendido e considerado, descobre que as pessoas não estão dispostas a retribuir tudo aquilo que você lhes fez. Daí a ter um disparo emocional de ira ou decepção é um pulo.

A sabedoria popular orienta: "Trate os outros como gostaria de ser tratado…". E é possível acrescentar: "…mas não seja ingênuo a ponto de esperar retribuição".

Temos o dever ético de retribuir as gentilezas que recebemos. Contudo, é necessário entender que a retribuição nem sempre é dada da forma como a desejamos e nem sempre no momento esperado. É bastante comum encontrarmos pessoas sofrendo por causa de ações não correspondidas. A origem do sofrimento está na necessidade de reconhecimento — e essa busca por provas de que seus esforços são reconhecidos gera estados mentais negativos que as impedem de enxergar o que de fato precisam fazer, quais são suas prioridades. Já a pessoa resolvida, convicta de suas decisões e altruísta em seus atos, não tem necessidade de reconhecimento e, portanto, não sofre.

Compreenda: resistir à ânsia de ser reconhecido é um comportamento nobre. A renúncia ao excesso de vaidade, ao reconhecimento, à preferência pelos bastidores favorece o autocontrole e a paz interior. Relacionamento humano é uma arte que depende essencialmente de bom senso, equilíbrio, empatia, compreensão e respeito ao lidar com a singularidade de cada um.

Renunciar ao desejo de reconhecimento e assumir a humildade é um caminho de sucesso nas relações interpessoais. Estenda o braço a quem precisa, sem esperar reconhecimento. Faça sua parte seguindo os valores universais de bondade, altruísmo, honestidade, ética, respeito e verdade. E, acredite, você estará no caminho da paz mental.

META 3 — ALCANCE A REALIZAÇÃO PELA HUMILDADE

Um dos maiores erros que cometemos é confundir humildade com submissão. O ato de submeter-se a uma autoridade, regra ou força imposta de forma dominadora é postura do sujeito submisso. A disposição para aceitar um estado de dependência ou o estado de rebaixamento servil é considerada uma atitude de submissão.

A humildade representa outro traço de comportamento. Ela é a virtude que lhe dá o sentimento, a identificação e o reconhecimento de suas fraquezas. A humildade nos ajuda a reconhecer nossas imperfeições e limites, mas de modo diferente da crítica, que expõe todos os nossos pontos fracos.

O crítico às vezes nos pega de surpresa e nos deixa indefesos, vulneráveis. Não temos tempo de nos proteger: primeiro levamos o impacto, depois tentamos nos recompor. O humilde é mais esperto: uma vez que não pode ser o alvo da metralhadora do crítico porque reconhece com antecedência suas imperfeições. O humilde que trabalha duro a fim de corrigir suas fraquezas é sábio, pois o crítico não precisará lembrá-lo da necessidade de mudança, em nenhum momento. A humildade já antecipa o que é preciso mudar.

O humilde aborda todas as pessoas com humanidade, respeito e, quem sabe, até um pouco de reverência, sem discriminação de classe ou crença. Quer saber se as pessoas humildes têm sucesso na comunicação ou são capazes de influenciar alguém? Preste atenção para o que dizem os psicólogos: "As pessoas ficam mais receptivas àquilo que será dito quando começamos admitindo humildemente que também estamos longe da perfeição".

Usando bem a humildade e a educação nos contatos diários, podemos operar verdadeiros milagres nas relações humanas. Essas duas virtudes andam de mãos dadas e são a chave para o sucesso pessoal e profissional. Jesus Cristo, o maior de todos os homens "se fazia pequeno para tornar grandes os pequenos", segundo o pesquisador Augusto Cury, que fez a análise da personalidade e da inteligência de Cristo.

É preciso entender que para cada ato existe um efeito. A humildade nos fortalece, assim como a crítica e a submissão nos enfraquecem. As mulheres do século XXI são mais fortes porque deixaram de se submeter ao domínio masculino. Hoje, os homens conhecem e experimentam o poder e a força que as mulheres velavam em sua submissão.

Todos nós temos um talento especial, contudo temos de ser sutis ao fazer propaganda disso para outras pessoas. Quem fala demais muitas vezes erra! No mercado de trabalho temos necessidade de vender nossas melhores qualidades, mas no relacionamento social esse comportamento é perigoso. Gosto de pautar minha vida social, acadêmica e profissional em um pensamento de Lord Chesterfield: "Seja mais sábio que as outras pessoas, se puder; mas nunca lhes diga isso".

Nunca, em nenhum momento da sua vida, nem por brincadeira, diga diretamente aos outros que você sabe mais, consegue fazer melhor ou entende do assunto. Evite demonstrar superioridade material, física ou intelectual diante das pessoas pelas quais sente afeto. Esse comportamento pode humilhar, pois você sabe que muitos sonham, mas poucos conseguem realizar. Se precisar mostrar suas conquistas, seja sutil. Humildade é sinal de inteligência, afasta crises e só agrega mais pessoas ao seu círculo social.

META 4 — APRENDA A RECEBER CRÍTICAS

Existem pessoas que nos criticam para nos alertar sobre escolhas erradas que fizemos ou estamos prestes a fazer. Outras criticam porque é o modo que encontraram de chamar nossa atenção, pois no fundo querem o nosso bem. Toda crítica, que parte de pessoas sábias, honestas e bem-intencionadas, pode ser vista como conselho, como um privilégio.

"As pessoas são como tapetes: de vez em quando precisam ser sacudidas", diz um provérbio grego. Se levássemos à risca esse provérbio, porém, criaríamos um terreno fértil para o desentendimento e a hostilidade nos relacionamentos, pois, muitas vezes, tal sacudida acontece em momentos críticos e, na verdade, ninguém gosta de ser criticado.

Para uma pessoa mais discreta, autoprotetora, a crítica tem o poder especial de desvanecer o véu e revelar todos os seus pontos fracos. A crítica tem o desabono como objetivo quando alguém que não gosta de você a usa como arma. E essa arma perigosa pode ser acionada em tudo o que o criticado fizer, afinal, uma crítica ferrenha revela suas fraquezas ocultas e isso o fragiliza. Nesse momento, você descobre que a crítica tem o poder de derrubar todas as cortinas e revelar os pontos fracos que muitas vezes preferia esconder.

Por outro lado, a crítica também nos traz uma grande oportunidade quando nos concentramos, meditamos e aprendemos mais sobre o comportamento alvo da crítica. Nessas oportunidades, temos a chance de melhorar. Por exemplo: no final dos meus seminários, tenho sempre o cuidado de pedir aos alunos que me mandem mensagens de feedback. Recebo centenas de mensagens com agradecimentos e elogios, mas quando surge uma crítica presto ainda mais atenção a ela porque sei que pode existir algo ali que posso melhorar.

Algumas pessoas sofrem com as críticas que recebem porque têm o hábito de associá-las à censura, à depreciação ou ao desabono. Entretanto, existe o lado positivo da crítica e para enxergá-lo é preciso mudar o foco. Ficamos mais fortes quando aprendemos a ouvir com humildade o que os críticos têm a nos dizer.

Quando alguém buzina para você ao perceber que atravessará a rua, não é para assustá-lo, mas simplesmente para alertá-lo do perigo. A intenção do motorista, ao acionar o irritante alerta sonoro, não é chamá-lo de distraído ou dizer que não sabe atravessar a rua, mas de preveni-lo de uma eventual tragédia. Esse é o exemplo de crítico que se preocupa com o nosso bem-estar.

É fundamental também analisar a fonte da crítica, conhecer melhor a intenção de quem nos criticou. Existem indivíduos que querem nos ajudar, mas não têm bons argumentos ou não sabem se expressar bem, fazendo com que nos sintamos recriminados. Eles não conhecem outra maneira de ajudar, pensam que com a crítica podem chamar nossa atenção e nos favorecer de alguma forma. É um comportamento que geralmente ocorre dentro de casa, na relação dos cônjuges, e entre pais e filhos.

Existem também os críticos ferrenhos e maldosos que falam no intuito de tentar nos prejudicar. Eles fazem críticas sem qualquer fundamento, justificativa ou responsabilidade. É preciso aprender a lidar com esse tipo de crítico. Não é difícil vencê-lo; são necessários apenas uma pequena dose de paciência, uma pitada de equilíbrio e bom senso a gosto. Responder à crítica é admitir que o opositor está vencendo. É prudente saber ignorar.

A prudência também pede para não confundir bom senso com passividade. Bom senso é a faculdade de discernir, antes da ação, o que é certo ou errado, verdadeiro ou falso. O homem de bom senso tem a sabedoria como conselheira. Se ela pede para não reagir, ele se sente em paz.

Já a passividade pede para aceitar prontamente, ou não reagir. Contudo, nesse caso, criam-se sentimentos de submissão, culpa e derrota. O segredo do autocontrole está em aprender a não interpretar toda crítica como uma observação negativa ou censura, e sim aceitá-la como algo que pode promover uma mudança para melhor. Portanto, ouça o que os críticos honestos têm a dizer. Fique atento às suas mensagens e aos seus ensinamentos. Dobre sua atenção ao ouvir lições e conhecimentos.

META 5 — NÃO CRITIQUE

Eis aqui um paradoxo: enquanto o tópico anterior ensina a receber críticas, este o orienta a não criticar. Se saber acatar críticas é um ato de humildade e inteligência, não criticar revela uma pessoa cautelosa, dotada de bom senso e sabedoria admiráveis, qualidades de quem tem autocontrole.

Se você deseja motivar alguém, saiba que a crítica não é o recurso adequado. Interesses e necessidades direcionam as ações dos homens no cotidiano. Assim, o bom desempenho ou não nas atividades do dia a dia é determinado pelo grau de motivação. A maior parte das pessoas não é motivada pela crítica, mas pelo afeto, pelo elogio, pela recompensa, pelo desafio ou pelo prêmio.

Tratando-se de comunicação, é preciso saber que, para todo tipo de mensagem emitida, existe uma reação por parte do receptor. Quem se comunica com respeito, colhe reconhecimento, admiração. Napoleon Hill dizia: "Basta um segundo para fazermos uma censura, mas quem a recebe pode levar uma vida inteira para esquecê-la".

Essa afirmação também pode ser confirmada através dos mecanismos neurais do cérebro, pois a memória humana é uma sofisticada função de proteção: grava facilmente toda experiência que causa sofrimento e nos aborrece. A crítica, quando interpretada como censura ou desabono, pode causar sofrimento, tristeza ou ira. Sentimentos que desencadeiam, no cérebro, processos de arquivamento, isto é, quem é criticado não esquece a crítica e muito menos quem a fez.

Responda: você tem o hábito de criticar seus filhos, irmãos, parentes, amigos, colegas de trabalho, clientes, cônjuge e demais pessoas do seu convívio? Está acostumado a reclamar de tudo ou fazer críticas quando o criticado não está presente? Se a resposta é sim, talvez esteja perdendo a confiança das pessoas aos poucos, destruindo sua rede de relacionamentos, afastando todos do seu círculo de convívio.

O senso comum condena quem faz críticas, repudia quem fala mal dos outros e rejeita aqueles que sempre reclamam da vida. Para as pessoas, esses indivíduos não são dignos de respeito ou confiança. Você confidenciaria uma informação importante a alguém maledicente ou que vive criticando os outros? Certamente, não! Ninguém confia em pessoas assim.

Quem critica impiedosamente é também alvo de críticas duras e chacotas. Pode ser considerado prepotente ou o chato da turma. Tem o estigma de rabugento, de "senhor sabe-tudo" ou de "o dono da verdade". É alguém indigesto para a maioria das pessoas.

Por outro lado, há aquele sujeito que critica na tentativa de ajudar. É como o bom samaritano, personagem da parábola de Cristo apresentado como modelo de bondade. A observação desse tipo de pessoa, como vimos anteriormente (na meta 4 — Aprenda a receber críticas), é bem-vinda, pois sua crítica, muitas vezes, pode trazer ensinamentos valiosos.

Entretanto, é preciso ter serenidade e discernimento para identificar esse tipo de crítico. A sociedade, de maneira geral, não o reconhece. Recebe suas críticas com hostilidade e as vê como intromissão.

É importante lembrar que o criticado se sente fragilizado, sente seus pontos fracos expostos. Ele dificilmente ficará passivo e certamente reagirá ao crítico. As pessoas em geral condenam o crítico ao isolamento por se sentirem ofendidas. O crítico é imediatamente banido do grupo.

Então, se você tiver uma crítica para alguém, antes de fazê-la, pare, reflita e, se for o caso, decida-se pelo silêncio. Tome como exemplo o célebre piloto de Fórmula I, Ayrton Senna. Quando indagado por um repórter sobre o motivo pelo qual não gostava de dar entrevistas, respondeu que, se não tinha nada de bom para falar, preferia ficar em silêncio.

Para ter autocontrole e sucesso como pai, mãe, profissional, patrão ou comunicador, é necessário observar integralmente todos os conselhos e críticas que faz aos outros. Uma grande mudança acontece quando nos tornamos comunicadores conscientes. Espalhar boas sementes todos os dias através dos nossos contatos nos dá a certeza de colher sempre os melhores frutos. Assim, recebendo o privilégio da colheita farta, teremos apenas motivos para nos alegrar.

META 6 — NÃO JULGUE

Você já reparou que julgar é o mesmo que dar uma sentença? Que quando julgamos nos colocamos na condição de árbitro que sentencia sobre os atos de outras pessoas? Julgar sem evidências é o caminho mais rápido para gerar crise e perder o controle porque o julgamento não pode ser medido. Não existe julgamento mais forte ou mais fraco, julgamento é julgamento!

Quando feito precipitadamente ou sem fundamento, o julgamento choca e transforma uma leve conversa em grave desentendimento. Julgamento não é coisa do anjo, e sim do diabo mental.

Jesus nos ensinou a não julgar, porque todos os nossos julgamentos serão errados. Julgar é considerado uma característica dos tolos. Uma pessoa que julga outrem deve prestar muita atenção ao que diz, pois, ao avaliar seu próximo, certamente estará falando a respeito de si mesma. Vamos entender melhor.

Fiz um teste com os participantes dos meus seminários sobre liderança. Pedi às pessoas que escrevessem em uma folha de papel três características negativas de seus superiores. Literalmente, forcei-as a julgar. Você também pode fazer esse teste agora, antes de continuar a leitura. Complete a frase escrevendo três características negativas, ou seja, faça três julgamentos:

O meu chefe é...
_____
_____
_____

Bem, ao final do teste pedi para que cada participante lesse o que escrevera e respondesse honestamente à seguinte pergunta: "Os aspectos negativos sobre seu chefe que foram anotados na folha existem em você?". Para surpresa geral, todas as pessoas tinham dentro de si a mesma característica apontada na acareação.

Um dos participantes havia escrito: "Egoísta, covarde e vaidoso". Ele ficou perplexo, pois, ao julgar, na verdade tinha escrito a respeito de si mesmo. Ele admitiu que era egoísta, covarde e muito vaidoso, ou seja, fez um julgamento com base no próprio comportamento. É como constatar algo simples: toda vez que se aponta um dedo para alguém, outros três estão apontados para si mesmo.

No julgamento é exatamente isso o que acontece. Não é possível julgar alguém sem antes buscarmos as características que consideramos erradas em nossa própria experiência de vida. Isso acontece porque o ser humano só identifica o que já conhece. Então, quando se descobre essa verdade, em vez de nos irritarmos com as críticas e julgamentos que recebemos, devemos considerá-los engraçado, pois quem nos julga está falando a respeito de si mesmo. Quando nos dizem: "Você é arrogante, folgado, preguiçoso", no fundo, porém, sabemos que o outro está refletindo em nós a própria imagem, ou seja, o ataque é contra ele mesmo. Você pensará: "Eu sou o espelho que reflete a sua imagem".

Estamos falando com os espelhos a todo momento. São as pessoas com as quais nos relacionamos. E o que vemos refletido no rosto delas talvez seja exatamente a reação ou o reflexo do sentimento que expressamos por meio de nossas atitudes.

Com um pouco de atenção, bom senso e paciência, você será capaz de conhecer melhor o interlocutor. Verificar que, de acordo com o tipo de julgamento que está fazendo, é ele quem deve mudar e quem precisa de ajuda. Pensando e agindo desse jeito, você não perde o controle, não se revolta, consegue conduzir melhor a conversa e evita desentendimentos.

META 7 — APRENDA A RECEBER CONSELHOS

Há pessoas que não gostam de receber conselhos e há aquelas que os recebem como quem ganha um bilhete premiado. É perfeitamente razoável admitir que, quando bem aproveitado, um conselho valioso, vindo em um momento de dificuldade ou conflito, pode ajudar a encontrar o caminho em um labirinto de indecisões, mudando radicalmente a vida para melhor.

O conhecimento popular nos ensina que conselhos são valiosas fontes de informação e aprendizado. E quando oferecido por pessoas qualificadas, tornam-se privilégios. Contudo, se receber um bom conselho é um privilégio, então por que a maioria das pessoas não gosta de ouvi-los? Por que alguns comunicadores e líderes recusam e até repudiam os "palpiteiros de plantão"?

Mais uma vez, Millôr Fernandes usou o bom humor para tentar explicar esse fenômeno declarando que "o vago sentimento de ofensa que você sente, ao receber um conselho, vem do fato de perceber que o outro cara sabia o tempo todo que você estava entrando bem". Com essa declaração, Millôr estava bem próximo da verdade, mas não é só isso.

Algumas pessoas investem muito tempo e dinheiro na própria imagem. Criam um mundo fantasioso e tentam mostrar que são diferenciadas. Outras fazem questão de que os outros saibam que têm seu modo original de ser e constroem seus castelos alicerçados em rótulos, grifes e atitudes. A vida desses indivíduos parece perfeita e feliz até o momento em que surge um conselho franco e realista. E sabe o que o conselho pode fazer? Derrubar toda aquela ostentação, revelar a pessoa frágil e artificial ali escondida, alguém que não era o que demonstrava ser. E isso a deixa irritada.

Aquele que tem medo de perder a reputação de "sabe-tudo" repudia de todas as formas o conselho e afasta os conselheiros da sua vida. Há pessoas que temem ter a privacidade invadida ou o estilo pessoal mudado. Pelo excesso de comodismo, têm uma enorme resistência às mudanças e aos conselhos. Afirmam os acomodados: "Se eu já sei fazer desse jeito, para que aprender outro?". Dirão os orgulhosos ou aqueles que relutam em mudar o modo de pensar: "Imagine, seu eu fizer isso, o que irão pensar de mim?".

A excelência não é para qualquer pessoa. Um dos segredos do autocontrole é estar sempre disposto a aprender, mesmo que o conselho venha de uma criança. Indivíduos bem-sucedidos em diversas atividades têm uma característica em comum: apreciam ouvir conselhos e fazem questão de saber a opinião de outrem. Quando alguém diz que tem um conselho, lá estão eles, ligados, ouvindo tudo atentamente.

Para você ter autocontrole é necessário possuir conhecimento e, ainda assim, reconhecer que há muito a aprender. Ouvir conselhos é tomar para si uma nova experiência, é crescer intelectualmente sem precisar fazer força. Mesmo que naquele momento não seja conveniente acatá-lo, poderá lhe ser útil em outra oportunidade.

META 8 — NÃO ACONSELHE

Não aconselhar é uma maneira simples de preservar os relacionamentos. Quando você fala às outras pessoas para o bem delas, isso é conselho. Quando elas falam para o seu bem, é intrometimento. Você já deve ter ouvido pessoas reclamando inúmeras vezes que "fulano adora colocar o nariz onde não é chamado".

A queixa popular tem suas justificativas. Algumas pessoas, quando encontram alguém concentrado, tentando resolver um problema difícil, são tentadas a ajudá-lo. Se souberem um caminho que, para elas, pareça mais fácil, não resistem e proferem uma "palestra" a respeito da melhor solução. Em outras palavras: quando o conselho vem carregado de prepotência, ele gera o sentimento de humilhação. Esse é um dos poderes negativos do conselho.

Você deve ter notado aqui um paradoxo, um contrassenso com a orientação anterior: receber conselhos. Na anterior peço para aprender a receber conselhos, e agora peço para não aconselhar. Você pode estar pensando: "Mas, afinal, aonde este autor deseja chegar?". Vou explicar.

Distribuir conselhos gratuitamente, sem ser solicitado, é o modo mais fácil de exteriorizar nosso desejo de ser útil. A pessoa precisa colocar em prática, fazer valer a pena tudo aquilo que aprendeu e acumulou na memória ao longo da vida. Todavia, o hábito de dar conselhos, sobre qualquer coisa e para qualquer pessoa, pode ser perigoso.

Para aqueles que apreciam distribuir conselhos, há um ótimo: digite todas as suas opiniões, ideias e conselhos no computador e faça um livro. Pois assim seu material encontrará público realmente interessado e disposto a tentar implantá-los.

Se entendeu a orientação do tópico anterior, então sabe que é uma boa ideia receber conselhos, pois você fica mais flexível e experiente. Ao mesmo tempo, é importante entender também que aconselhar nem sempre é uma boa ideia. Seria exatamente o oposto de dar e receber. Trata-se, literalmente, de não dar e receber — a não ser em casos para os quais você é requisitado.

Muitas vezes, a boa intenção de auxiliar sem ser solicitado pode atrapalhar. Para ilustrar, cito uma mãe que vive antecipando tudo o que a criança precisa. Ela pode, com esse comportamento, retardar o desenvolvimento da fala de seu filho, por exemplo. Um dos motivos que levam uma criança a desenvolver a fala é a necessidade. Quando ela é atendida prontamente sem a menor manifestação de desconforto, não sente necessidade de falar.

Algumas pessoas gostam de enfrentar desafios, sentem-se motivadas pelo desejo de encontrar, sozinhas, soluções para suas dificuldades. No entanto, quando chega alguém com uma resposta pronta, sentem-se frustradas.

Os mais jovens são idealistas, adoram novos desafios, gostam de encontrar novas soluções para problemas comuns. Entretanto, muitos adultos generosos e com ânsia de se sentir úteis interrompem a investigação desses jovens. Trazem respostas instantâneas e matam a criatividade do aspirante. Primeiro, é preciso deixar o sujeito em dificuldades tentar encontrar uma solução sozinho, depois, caso ele não a encontre, ofereça-lhe ajuda. Ele julgará se a sua ajuda é necessária e bem-vinda ou não.

Como melhor alternativa só aconselhe quando for solicitado, pois ser tido como intrometido é o julgamento mais comum. O hábito de oferecer conselho para quem não o pede pode colocar em risco o relacionamento por conta de uma possível má interpretação da sua atitude por parte do outro. Mais perigoso do que isso: advertências imprevistas poderão revolver valores e crenças arraigadas, causando confusão e transtorno.

É verdade que nem todo conselho é ruim e, também, que nem todas as pessoas o desprezam. Um sujeito maduro, que tem uma vida agitada e repleta de compromissos, saberá aproveitar melhor as sugestões. Um verdadeiro líder também não recusará uma boa dica. Aliás, esse é um segredo dos comunicadores de sucesso! Eles ouvirão atentamente o seu conselho para economizar tempo, energia e não o aconselharão para não gerar desgastes.

E o que fazer quando for preciso aconselhar?

Resistir à vontade de aconselhar é desafiador, principalmente para os mais experientes. Exige-se um imensurável esforço para tal, assim como uma vigilância constante para não flagrar a si mesmo distribuindo opiniões.

Sabemos que existem alguns momentos da vida que requerem uma intervenção rápida e precisa para solucionar uma situação. São momentos em que vários interesses estão em jogo, tanto os seus quanto os da pessoa a quem você aconselha. Quando perceber que a pessoa está cega para os acontecimentos importantes à sua volta, ofereça o conselho, mas com serenidade e sabedoria.

Leia a seguir algumas situações em que será importante fazer uma intervenção por meio de opiniões ou conselhos.

Só aconselhe ou opine quando for convidado.
As pessoas só pedem conselhos quando têm dificuldade em escolher uma alternativa ou sentem-se incapazes de tomar decisões sozinhas. Por isso, recorrem à opinião de outrem. Companheiros de trabalho, parentes ou amigos podem pedir sua opinião sobre os fatos que pesam a fim de que os ajude a fazer a melhor escolha. Nesse caso, coloque toda a sua experiência à disposição e aconselhe à vontade.

Só aconselhe se a pessoa for humilde e tiver a mente aberta.
A predisposição do sujeito para aceitar opiniões ou conselhos é condição fundamental para a manutenção do relacionamento positivo. A pessoa receptiva, humilde ou que não tem preconceito aproveita melhor as sugestões que se apresentam. Ela não se ofende com o que você diz, mas fica satisfeita e grata por sua ajuda. Contudo, tome cuidado com os excessos!

Só aconselhe quando NÃO envolver relacionamento amoroso.
O tipo de conselho mais perigoso é aquele que envolve parceiro, amigo ou cônjuge de outrem. Por exemplo: como é sua amiga, você acredita que tem o dever de alertar uma pessoa de que está sendo traída e lhe diz: "Fulano não serve para você, ele a está traindo…". O que acontece? A revelação certamente desencadeará uma crise naquele relacionamento, podendo colocar todos contra você. Mesmo que esteja revelando a verdade absoluta, há pessoas que preferem não acreditar no que estão ouvindo. Outras estão cientes do fato, porém, fazem vista grossa por uma série de razões. Em relacionamento amoroso, a ordem é: "problemas entre marido e mulher, é melhor não meter a colher".

Só aconselhe quando a pessoa NÃO for capaz de encontrar uma solução sozinha.
É comum encontrar pessoas sem iniciativa, capacidade e experiência suficiente para tomar decisões sozinhas. Muitas delas não sabem nem procurar ajuda, precisam ser descobertas para, então, ser orientadas sobre o que devem, ou não, fazer. Um exemplo pode ser um funcionário que tem medo de admitir a falta de competência diante do empregador. O medo de perder o emprego pode ser o motivo que o impede de pedir ajuda. Quando estiver diante de pessoas com esse perfil, tenha a sensibilidade de perceber o momento em que o comportamento e o olhar delas lhe pedem socorro.

Só aconselhe quando a pessoa estiver com a vida em risco.
Sabe-se que certas lições, aprendidas ao longo da vida, fornecem experiências valiosas e positivas no aspecto evolutivo. Afinal, as dificuldades pelas quais passamos servem para nosso fortalecimento. As árvores mais fortes são aquelas que crescem em meio a vendavais e tempestades. Assim, a verdadeira coragem nasce da maturidade, que nasce das experiências.

Permitir que as pessoas cometam equívocos de vez em quando facilita o crescimento pessoal e o desenvolvimento do senso de responsabilidade. Tratando-se dos filhos, é necessário prudência. Não podemos ser negligentes e deixar a experiência gerar sofrimento profundo. Se for preciso aconselhar, faça-o com segurança.

Só aconselhe quando houver risco de grande perda material.
O prejuízo material também faz parte do crescimento pessoal e do desenvolvimento do senso de responsabilidade. Um jovem que gasta de modo irresponsável todo o dinheiro da mesada merece ficar sem dinheiro até o mês seguinte. Não há problema! Ele aprenderá

a valorizar seu pequeno patrimônio. Caso você saiba de alguém a ponto de dar um passo em falso, que o levará a um sério prejuízo material, não hesite em alertá-lo. Uma grande perda desse tipo pode levar à tristeza profunda e à depressão.

Só aconselhe quando as ações da outra pessoa colocam o seu patrimônio ou a sua vida em perigo.
O gerente da sua empresa está fazendo negócios com um fornecedor desonesto ou um funcionário está comprando os lanches de um restaurante com higiene duvidosa. Esses são exemplos de situações que colocam o seu negócio, sua saúde e a de seus empregados em risco. Nesse caso, é hora de emitir alguns conselhos. Estando convicto, enuncie sua opinião sem medo de errar.

Só aconselhe quando NÃO for possível promover mudanças radicais no modo de pensar e agir da outra pessoa.
Se você sabe que o seu conselho poderá promover uma mudança radical no modo de pensar ou de agir da outra pessoa, então não o ofereça. Caso contrário, correrá o risco de influenciar profundamente o comportamento dela a ponto de confrontar sua individualidade. Ela passará a fazer aquilo que você sugeriu e não o que realmente gostaria de fazer. Resultado? Caso esteja vivendo do jeito que foi aconselhada, sempre recorrerá a você quando estiver em dificuldades. É como se ela colocasse a responsabilidade da própria vida em suas mãos. E isso não é uma boa ideia!

Só aconselhe quando o conselho NÃO envolver decisões de longo prazo.
Há quem não sabe decidir sobre o próprio futuro. Se alguém lhe perguntar sobre qual curso profissional deve escolher, sugira que faça um teste vocacional. O risco de oferecer conselhos, com re-

sultado a longo prazo, é o de ser responsabilizado pelo sucesso ou fracasso da pessoa.

Suponhamos que alguém aceite a sua sugestão e ingresse no curso de Direito, mas, quando se lança no mercado, percebe que não era exatamente o que queria. Na frustração, a pessoa pode se lembrar de que foi você quem a aconselhou. Você não deseja ser responsabilizado pela frustração do outro, deseja?

Só aconselhe se perceber que a pessoa está deprimida ou triste.
Tentar levantar a autoestima de uma pessoa deprimida por meio de opiniões, conselhos e frases motivacionais é um comportamento, por vezes, absolutamente útil. Pode não ter resultado imediato, mas ajuda a gerar um sentimento de esperança. Orientar a pessoa para levantar-se da cama, sair de casa, ver a luz, praticar exercícios pode ajudá-la bastante. Mais do que orientar, segurar-lhe a mão e auxiliá-la a conduzir-se na vida é o melhor caminho.

Só aconselhe se estiver em posição de liderança.
Nesse caso, o conselho exerce o papel de diretriz. É a orientação do líder que deve ser seguida à risca. E se o objetivo do líder for obter a colaboração, então terá de construir o conselho de modo gentil, a fim de gerar sensibilização da parte do colaborador.

Sensibilizar pessoas é a arte de se chegar ao coração. É convencer através da verdade. Requer empatia, responsabilidade e sensibilidade. Um subordinado sensibilizado pelo líder responde com entusiasmo: "Ótimo! Era isso que eu queria ouvir. Inclusive, tenho algumas ideias de que poderá gostar e que facilitarão o nosso trabalho". É fácil identificar um colaborador sensibilizado. Basta notar a expressão de encantamento. O brilho nos olhos é sinal de entusiasmo e paixão.

META 9 — FAÇA DECLARAÇÕES POSITIVAS

Proponho iniciar este tópico fazendo um exercício simples: leia as sentenças a seguir, mas não pense na resposta de jeito algum.

"Três vezes três..."
"Escreveu, não leu..."
"Batatinha quando nasce..."
"Quem não se comunica..."

Agora responda: O que aconteceu? Exatamente o contrário do que foi pedido, não foi? As respostas apareceram independentemente da sua vontade. Você até tentou não pensar, mas pensou! Vamos entender por quê.

Nossa mente é preparada para processar todas as sentenças como positivas. Assim, se eu peço a alguém para não pensar em uma girafa vermelha usando óculos escuros, o que acontece? Já pensou, não é mesmo? Para entender meu pedido a mente teve de gerar a informação não solicitada, isto é, primeiro ela precisa criar a girafa vermelha para então entender que não poderia ter pensado nela, porém, já é tarde demais. Reflita sobre o impacto desse fenômeno nas relações humanas.

Imagine que alguém está iniciando uma apresentação. Tem à sua frente um público de cinquenta pessoas, todas amistosas, receptivas e concentradas. Educadamente, chama a atenção do público pedindo que não repare na minúscula mancha de café que pingara há pouco em sua camisa branca. O que acontece naquele momento? O público precisa primeiro reparar na camisa do palestrante para, então, tentar acatar a mensagem. Tarde demais! Quem havia reparado, prestará mais atenção, e quem não havia reparado, agora voltará sua atenção para a camisa. Enfim, a mancha chamará mais a atenção do que a pauta apresentada na palestra. Instaurou-se o conflito interno.

Quando interagimos com as pessoas, muitas vezes recebemos aquilo que não pedimos. Certa vez, por exemplo, acompanhei um amigo durante seu trabalho de venda. Ele prestou um excelente atendimento ao cliente e estava com o pedido praticamente fechado. Contudo, em um minuto de descontração, virou-se para o cliente e fez o seguinte comentário: "O importante é não pensar no saldo bancário".

Nesse instante, sua frase emitiu um comando mental (não pensar no saldo bancário). Você já está imaginando o que aconteceu, não é? O cliente olhou para o vazio, pensou por alguns segundos, lembrou-se de que tinha alguns cheques na praça e depois disse que achava melhor cancelar o pedido. Ao dizer "não pense no saldo", o vendedor recebeu aquilo que não pediu, ou seja, para entender a mensagem, o cliente teve de, primeiro, pensar no saldo bancário! Por isso evite frases com construção similar a estas:

- Não quero que você pense em problemas.
- Não quero que você fique preocupado.
- Não preste atenção nisso.
- Não pense nessa doença.

Não há inconveniente em usar a palavra "não", mas é recomendável usá-la com cautela para evitar comandos mentais negativos. Fale ou pense somente em frases positivas, isto é, em vez de dizer "Não pense nessa doença", diga "Pense em como você estaria agora se estivesse saudável". Em vez de dizer a uma criança "Não quero que fale palavrão", explique "As pessoas gostam de receber elogios e não palavras feias". Devemos sempre chamar a atenção para aquilo que realmente é importante e não para os aspectos negativos.

META 10 — FALE MENOS, REFLITA MAIS

Existem pessoas que adoram conversar. Algumas, quando começam a falar, não param mais, não dão oportunidade para os outros se expressarem, perdem a noção de tempo e acabam causando mal-estar. Pessoas que falam demais aborrecem o ouvinte com o seu longo falatório. Recebem o rótulo de "chatas", pois contam tudo tim-tim por tim-tim, com todos os detalhes imagináveis.

Grandes líderes e comunicadores recomendam: fale somente o necessário porque ninguém aprecia aquele que só sabe falar de si mesmo. Essas criaturas falantes gostam de falar de suas experiências, seus projetos, seus gostos e seus interesses. Expõem suas ideias e pontos de vista sem que alguém lhes tenha perguntado. As pessoas que falam demais, não o fazem aleatoriamente. Elas escolhem uma vítima, apontam a metralhadora e disparam um falatório sem fim, exteriorizando tudo aquilo que pensam, sem nenhum filtro.

O sujeito que fala demais talvez tenha necessidade de colocar para fora ansiedades, medos, frustrações e até mesmo partilhar alegrias e boas notícias. Ele precisa encontrar uma válvula de escape, alguém para ouvi-lo, senão explode!

Em geral, esse tipo de pessoa adora discutir assuntos polêmicos em momentos inoportunos, fala demais sem dar chance para o interlocutor manifestar-se e o pior: não sabe identificar sinais de impaciência, insatisfação ou aborrecimento.

As pessoas emitem sinais de irritação quando não estão interessadas em ouvir aquilo que alguém tem a dizer. Podem levantar as sobrancelhas e lançar um olhar desdenhoso; torcer o canto da boca; bocejar; olhar para tudo, menos para quem fala; batucar com os dedos em ritmo acelerado; consultar o relógio a todo momento; apoiar a cabeça sobre a mão e o cotovelo sobre a mesa; dizer "pois é..." por preguiça de responder e até mudar o assunto, interrompendo bruscamente a conversa.

Imaginemos um sujeito falante que resolve explicar tudo o que sabe sobre clonagem humana, mas alguém o interrompe e diz: "Falando nisso, preciso fazer minha matrícula no curso de espanhol". Enquanto um fala em clonagem, o outro pensa em curso de espanhol. Este é um sinal claro de quem não está interessado no assunto em pauta.

Comportamentos como esse e sinais de irritação nem sempre devem ser interpretados como descaso de quem escuta. É uma questão de prioridade. Para alguém chegar a emitir sinais de irritação é porque, provavelmente, naquele momento deva existir algo mais importante a fazer. O desafio, então, é aliar a disposição de quem fala com a disponibilidade de quem ouve, ou seja, encontrar o momento exato para conversar.

Um amigo disse-me que certa vez quase perdeu o voo porque encontrou uma amiga no aeroporto e lhe perguntou: "Como vai?". E ela resolveu explicar. Falou sobre sua vida, empolgou-se e não parou de monologar um só minuto. Ele não sabia como interrompê-la para mencionar que o seu embarque já estava encerrando. Teve de sair correndo sem dar explicações!

À primeira vista não é possível identificar um sujeito que fala demais. Para nossa infelicidade, só notamos isso depois que o falatório começou. Assim, para sair elegantemente dessa situação sem se irritar e sem magoar o locutor, proceda da seguinte maneira: olhe nos olhos, segure firme a mão da pessoa (isso deverá fazê-la parar de falar imediatamente e prestar atenção em você) e diga-lhe gentilmente: "Perdoe-me, quero muito conversar com você, mas terá de ser depois que resolver o compromisso urgente que tenho agora. Logo poderemos nos sentar e discutir melhor esse assunto".

Pronto, agindo assim, evitará desgastes e aborrecimentos, além de confortar e deixar a pessoa mais receptiva. Portanto, fale somente o necessário para evitar constrangimentos e exposição excessiva. Isso é fundamental para o autocontrole.

META 11 — NA MEDIDA DO POSSÍVEL, DIGA SEMPRE A VERDADE

Em meados de 2002, todas as emissoras de televisão e todos os jornais do país noticiavam o caso de uma mulher que tivera sua mentira revelada depois de dezesseis anos. Uma senhora do estado de Goiás sequestrou um bebê na maternidade e inventou uma série de mentiras para explicar o surgimento da criança em casa.

Ela mentiu para o próprio marido, que, segundo as notícias, morreu acreditando ser o pai da criança. Foram dezesseis anos para que o castelo desabasse e a mentira viesse à tona e, assim, a mãe sequestradora começar a viver um inferno mental. O adolescente descobriu que não era seu filho biológico. O fato, na época, ficou conhecido como O Caso Pedrinho.[10]

Esse caso, de repercussão nacional, nos deixa uma importante lição: a mentira é um recurso que não compensa. Ela chega a ser pior do que a doença, pois existem mentiras que devem ser sustentadas por toda uma vida, corroendo a alma.

Aquela mulher viveu dezesseis anos com uma doença e finalmente se libertou. Ela pode estar sofrendo graves consequências da sua mentira: processos, revolta da família, humilhação e tantos outros efeitos negativos. Entretanto, livrou-se da doença.

---

10. Detalhes sobre o caso e como foi dura essa nova realidade para Pedro Baule Pinto, o Pedrinho, veja em: Autorretrato. *Veja on-line*, mar. 2005. Disponível em: <http://veja.abril.com.br/idade/exclusivo/020305/pedrinho.html>. Acesso em: 21 ago. 2014.

Arrisco dizer que a verdade, vindo à tona, foi o melhor para ela. Acabou a doença, agora ela está livre da prisão psicológica que ela mesma criou.

Mentir é como fazer um pacto maligno: no começo se obtêm alguns benefícios, respira-se mais fácil, a vida fica mais simples, consegue-se o controle da situação e pendências imediatas são resolvidas. Mentir é recurso do acomodado e do imediatista. Entretanto, a médio e longo prazo, a mentira começa a corroer a consciência e mostrar seus efeitos colaterais. E saiba que os efeitos colaterais da mentira são os piores possíveis. O primeiro é a doença propriamente dita — corrosão da alma —, que persiste enquanto a mentira não for revelada.

O segundo efeito colateral da mentira é o fardo pesado que o mentiroso carregará enquanto tiver de mantê-la. Este se chama registro de memória. A mentira é uma ficção criada na memória.

A realidade era outra, mas, ao inventar a mentira, a memória terá de ficar com dois registros: a verdade — o que realmente aconteceu — e a ficção — aquilo que foi criado. O peso na consciência, ou o fardo, existe em virtude de ter de sustentar essa mentira toda vez que vem à tona.

O terceiro efeito é o pagamento da dívida que o mentiroso contraiu. Sempre existirá a hora de pagar pelo pacto maligno feito. O pagamento é a mentira ser desvendada e a pessoa arcar com todas as consequências que dela advêm.

Conta-se que havia um jovem habituado a mentir desde criança. A mãe pedia alguma coisa, ele mentia; o pai fazia uma pergunta, ele caluniava; os amigos queriam saber algo, ele sempre tinha uma mentira na ponta da língua. Ele era um viciado em mentiras. Mentir passou a fazer parte do seu comportamento; era uma marca pessoal. Mentiu para todos e sobre todas as coisas; mentiu durante toda uma fase da vida.

Um dia, porém, as mentiras vieram à tona e todos os amigos e parentes descobriram o grande mentiroso que ele era. Hoje, ele paga o pacto que fez para cada mentira que contou: não encontra trabalho, vive só e não consegue conquistar a confiança e o respeito de ninguém.

O caminho da mentira é mais confortável: é plano, liso, sem obstáculos, por isso as pessoas preguiçosas gostam de mentir. Elas andam tranquilamente, sem qualquer esforço; deslizam suavemente e não encontram atritos. O caminho da verdade é mais difícil: o solo é íngreme, cheio de pedras e espinhos. Muitas pessoas não gostam da verdade porque ela traz o sofrimento imediato. Mentindo é possível adiar o sofrimento, mas um dia ele chega. A verdade pode causar dor, todavia é só no momento da descoberta. A consciência não corroerá no futuro e a paz mental será perseverante.

Não existe mentira leve ou pesada, todas são mentiras. Também não existe meia verdade. Para haver meia verdade a outra metade tem de ser mentira. Portanto, entre mentira e verdade, fique com a verdade. Mude. Abra o jogo com as pessoas, coloque as cartas na mesa. Desse modo será bem mais fácil o convívio com aqueles que fazem parte de seu círculo social. Guarde em seu coração a valiosa mensagem que Jesus nos deixou: "Conhecereis a verdade e ela vos libertará" (João 8,32).

CAPÍTULO 8

Organização, coragem e disciplina

Depois de construir relações saudáveis com amigos, familiares e colaboradores no trabalho e entender a importância de policiar e escolher os pensamentos a fim de aliviar a rotina, você perceberá uma expansão gradativa do silêncio mental em virtude da ausência de preocupações e uma capacidade de gerar resultados extraordinários.

Quando a mente está em silêncio, quando você gerencia e seleciona os pensamentos que orbitam sua capacidade de processamento consciente e deixa de focar a atenção em coisas irrelevantes, discussões inúteis, argumentos que não merecem tanta energia, finalmente assume o controle e consegue dirigir o foco para o que realmente lhe interessa. A vantagem de manter a mente no presente é enxergar o que ninguém ainda enxergou — e isso inclui as grandes oportunidades que estão à sua espera.

Por exemplo, Arquimedes, gênio matemático que viveu até o ano 212 a.C., esteve diante de um grande desafio: calcular o volume de um objeto sólido de formato totalmente irregular, no caso a coroa do rei Hieron, de Siracusa. Arquimedes trabalhou durante muitas semanas nesse projeto, fez centenas de cálculos, testou diversas teorias. Sua mente estava inundada de hipóteses, mas ele não conseguia encontrar a solução para o problema.

Então, certo dia, para relaxar depois do trabalho, resolveu tomar um banho de imersão. Encheu uma banheira até a borda, despiu-se e entrou nela devagar. Naquele momento, sua mente estava totalmente vazia de pensamentos, estava 100% concentrada no presente e, por isso, ele podia sentir a temperatura da água, a imersão lenta do corpo dentro da banheira e o fio de água que transbordava e se espalhava pelo chão.

Foi aí que sua mente se iluminou. Arquimedes percebeu a sutileza que somente as pessoas focadas conseguem perceber. Para calcular o volume da coroa bastaria mergulhá-la num recipiente cheio de água e medir o volume transbordado. Segundo relatos históricos, naquele momento ele saiu correndo, nu, pela rua gritando: "Eureca, Eureca!" Achei.

Acredite: todos os dias você tem a chance de dar seu grito de "eureca". Você tem a chance real de encontrar soluções incríveis para os desafios que a sua ambição imagina, contudo, para isso, precisa gerenciar os pensamentos e direcionar seu foco.

Arquimedes estava trabalhando havia semanas naquele projeto. Talvez sua mente já estivesse cansada. Talvez já não estivesse dormindo bem nos últimos dias. Assim, ainda, talvez os pensamentos que lhe povoavam a mente e não o permitiam encontrar uma solução nem estivessem ligados diretamente ao problema da coroa, mas fossem de ordem familiar, social, política ou financeira. Quando, porém, por um momento, Arquimedes colocou tudo de lado e voltou a atenção para o presente, a porta do pensamento imaginário começou a fluir e ele pôde enxergar a solução mais simples e inusitada que alguém poderia imaginar.

Outro exemplo da importância de voltar o pensamento para o presente é um famoso *case* de marketing de uma indústria de pasta de dentes. Ela precisava encontrar uma maneira de fazer com que os clientes consumissem mais depressa os tubos de creme dental, para isso os estrategistas da empresa debruçaram-se durante semanas em busca de soluções.

Certo dia, a reunião foi convocada em uma sala em que certo funcionário fazia a manutenção do piso. Os executivos debatiam, apresentavam propostas, refutavam argumentos e não conseguiam chegar a uma solução. Ouvindo toda a conversa, em dado momento o funcionário da manutenção pediu licença aos executivos e sugeriu: "É muito fácil fazer com que os clientes gastem mais pasta de dente. Vocês só precisam aumentar o tamanho do buraco".

Eureca! Uma solução incrível, simples, inusitada. Quem melhor poderia ter imaginado aquilo senão uma pessoa com a atenção totalmente entregue ao presente?

Agora, você também tem esse poder. O poder de silenciar a mente, de fazer boas escolhas e deixar o pensamento imaginário cumprir sua função. Talvez você esteja pensando "Mas qual técnica devo usar para deixar a mente tagarela em silêncio?". A resposta é muito simples: **escolha** mantê-la em silêncio. Pronto!

Toda vez que minha mente apresenta um pensamento inútil ou tóxico procuro levá-la de volta ao presente. Simplesmente a silencio e presto atenção no agora. Lembre-se: você é o comandante. É você quem dá as ordens aí dentro. Sua mente é sua serva, e não o contrário. Se você pede para que ela se cale, ela deve se calar. Simples assim!

Não devemos buscar soluções complexas para os problemas complexos. Devemos buscar soluções simples para os problemas, não importa sua complexidade. Quem cuida desse departamento é o pensamento imaginário, o padrão de pensamento totalmente livre de filtros e resistências culturais. E ele só flui quando você silencia a voz incessante que só mostra as dificuldades em chegar aos seus objetivos.

Que tal ordenar agora mesmo que a mente fique em silêncio? Diga mentalmente com energia: "Quero você no presente". "Quero silêncio mental." Quando você mantém a mente em silêncio, amplia significativamente o poder dos seus sentidos.

Faça agora outro exercício: respire lenta e profundamente algumas vezes enquanto sente sua mente se silenciar. Feche os olhos e tente prestar atenção apenas na sua respiração. Escolha um dos seus sentidos, por exemplo, a audição. Enquanto mantém a mente em silêncio, transfira a atenção que estava na respiração para a audição. Agora, tente prestar atenção na quantidade de sons que consegue perceber. Se possível, note que talvez esteja ouvindo sons que até aquele momento não havia percebido. Pare a leitura, faça agora mesmo esse exercício.

Experimente o exercício também com os outros sentidos: com a visão, esquadrinhe cada canto do lugar onde está; com o olfato, tente descobrir novos odores; com o tato, sinta a textura da roupa que está vestindo, e com o paladar perceba a sutileza do sabor de um alimento.

A vantagem de ter uma mente silenciosa é ser capaz de aplicar uma energia de altíssima qualidade nas tarefas diárias, seja na participação atenta em uma reunião, na leitura de um texto ou na execução de uma tarefa complexa, como conferir um relatório ou dirigir um carro. Outro benefício da mente concentrada é poder fazer uma tarefa de cada vez, até o fim, e rapidamente.

Estudos[11] mostraram que o ser humano capaz de realizar uma tarefa por vez até o fim é mais eficiente, rápido e assertivo do que aquele que fica perdido ao tentar realizar várias ao mesmo tempo.

Por isso, toda a discussão deste livro o leva a entender que a concentração é, antes de mais nada, um exercício de exclusão.

---

11. BARBOSA, Christian. *A tríade do tempo*. Rio de Janeiro: Sextante, 2011.

Quando você elimina relacionamentos tóxicos e escolhe os pensamentos que orbitarão a sua cabeça, mantém o foco no que é importante para a sua vida e apaga os problemas do roteiro. Você cria um quadro branco para reescrever sua história de sucesso.

O QUE FALTA PARA VOCÊ REALIZAR SEUS SONHOS?

Na adolescência, tive um patrão muito divertido e inteligente. Quando um cliente ia até a loja e na hora de pagar começava a pechinchar dizendo que não tinha dinheiro, ele sempre soltava a frase: "Deus nem sempre dá exatamente aquilo que pedimos, mas com certeza nos dá tudo o que precisamos". Na maioria das vezes, esse argumento divino funcionava: o cliente parava de reclamar e fechava o negócio.

Então, de que exatamente você precisa para realizar seu sonho? Será que você não está apenas pedindo aquilo que já possui?

Talvez a resposta para essa pergunta dependa de descobrir exatamente qual é o tamanho e o objetivo final do seu sonho. Sonhos grandes e complexos, muito trabalho; sonhos simples, pequenos, pouco trabalho. Contudo, não importa o tamanho, afinal, sonho é sonho, e cada um tem o seu, não é verdade? Agora, qual é o objetivo final do seu sonho?

Minha proposta é ajudá-lo a entender que não importa qual seja o sonho, sempre existe uma maneira de realizá-lo. E permita-me insistir na tese de que você pode realizar qualquer coisa, porque essa é uma linha de pensamento útil, que o mantém com o espírito jovem e seu nível de energia sempre alto.

Afinal, quando duvidamos da amplitude de nossa ambição, podemos produzir, como já vimos neste livro, estados mentais limitadores, como ansiedade e frustração. É importante dar asas à imaginação, mas manter-se extremamente analítico a fim de descobrir qual objetivo final deve ser atendido pelo sonho. Por exemplo: imagine que seu sonho seja passar em um concurso público e você acabou de receber a notícia de que foi aprovado. Como se sente? Feliz, não é?

Muitas vezes, o desejo de comprar um carro novo, mudar de emprego, aproximar-se de uma pessoa serve apenas como alimento para saciar um desejo interno ainda maior. E se existe uma energia transformadora no autocontrole é a do metapensamento, pois ela permite nos autoavaliarmos e investigarmos a verdadeira intenção escondida por traz de um suposto desejo.

Por exemplo, você já deve ter ouvido pessoas dizerem: "Quando arrumar um emprego melhor, me sentirei mais segura"; "Quando tiver mais tempo, vou me dedicar mais aos meus filhos"; "Quando eu ganhar na loteria, serei realmente feliz". Segurança, atenção ao próximo e felicidade são estados mentais gratuitos. Você não precisa de moeda de troca para acessá-los.

Entretanto, quando uma pessoa os associa a uma condição específica, por exemplo, "Só serei feliz depois de ganhar na loteria", então estará condenada a viver uma vida de frustração. Você não pode condicionar o estado de felicidade à conquista de algo. Isso é ser injusto consigo mesmo, porque felicidade é um estado mental gratuito, deve ser livre. Você não precisa conquistar nada para ser feliz, basta sentir-se feliz. Pronto. Simples assim!

Certa vez conheci um empresário que reclamava da crise econômica e estava triste porque no final do mês não sobrava muito dinheiro. Uma tristeza que o vinha consumindo havia muitas semanas. Então, conversando um pouco mais descobri que, sim, ele de fato não tinha dinheiro, pois usava toda a receita da empresa para pagar as contas.

Contudo, o que ele se esqueceu de considerar é que, por outro lado, também não tinha um centavo de dívida. Ele pagava todas as despesas à vista. Não devia nada para absolutamente ninguém. A capacidade de pagar seus débitos à vista deveria ser motivo de comemoração, de felicidade, não de tristeza. Na verdade, ele até poderia transformar a felicidade em energia de maior recurso, como criatividade para descobrir novas fontes de renda.

Investigue seus sonhos hoje mesmo, descubra se alguns deles estão associados a estados emocionais que você poderia simplesmente vivenciar agora, aqui no presente. Se o motivo da realização de um sonho é sentir-se feliz, então sinta-se feliz agora. Se gostaria de ter mais tempo para se dedicar aos filhos, ora, então interrompa a leitura deste livro e faça isso agora mesmo. Não tenha dúvidas de que, sentindo-se feliz agora, vai renovar seu estoque de energia para realizar tudo o que imaginar. A capacidade de escolher como se sentir é a senha para o seu sucesso.

Você sempre esteve a um passo de transformar sonhos em realidade, mas para isso precisa fazer as escolhas certas e adotar medidas concretas para que as melhores coisas comecem a acontecer.

Por exemplo, um cidadão de classe média diz que seu grande sonho é comprar um barco de luxo para passear com a família aos fins de semana. Como ele se sentiria se o sonho fosse realizado agora? Eufórico, talvez? Sentir-se eufórico com a perspectiva de realizar o sonho fará com que a jornada de planejamento e estruturação das pequenas metas seja um processo muito mais divertido.

Por que você não pega uma folha agora mesmo e traça seu mapa do tesouro? Lembre-se: você tem o controle. Faça um exercício de reflexão e complete as frases:

Meu sonho é ser _____

Meu sonho é ter _____

Meu sonho é ir _____

Você sabe que só aqueles que fazem a coisa certa realizam sonhos. Então, o que você precisa para realizar os seus desejos?

No exemplo do barco, talvez o primeiro passo seja ir a uma agência bancária e abrir uma poupança. Depois, organizar as finanças para saber se é possível fazer uma reserva mensal. Terceiro, escolher uma data mensal para depósito... E assim seguem as pequenas tarefas para a realização do grande objetivo.

A autorrealização é alcançada quando temos consciência das escolhas, do caminho que devemos seguir e do tempo que levaremos para alcançar nossas metas. Isso afasta as aflições e nos mantêm sempre motivados.

O universo só habilita quem toma a atitude certa para realizar sonhos, sem prejudicar o próximo ou a natureza. Todas as nossas ações afetam de alguma maneira a vida das pessoas com quem trabalhamos, nos relacionamos ou a natureza. Assim, as decisões devem ser pesadas com a força da ética e da moral, pois, para que você durma em paz, deve ter a certeza de que suas ações são para o próprio bem e o das outras pessoas.

ORGANIZAÇÃO: SEU NOVO VALOR MORAL

Todos os anos era a mesma coisa — pelo menos comigo, com uma porção de pessoas com quem eu conversava e talvez até mesmo com você. Era um problema de saúde que me incomodava muito, roubava a tranquilidade das minhas noites de sono e só ocorria entre os meses de julho e agosto. Como você sabe, nessa época do ano é inverno no Brasil e o tempo fica muito seco no Sudeste, região em que moro com minha família. Durante a noite, enquanto dormia, meu sistema respiratório ressecava, ardia muito e me fazia acordar várias vezes, prejudicando a tão esperada noite de sono.

Pela manhã, meu nariz estava ressecado, ferido e, devido à noite maldormida, meu estado de humor era ruim.

Mas por que estou lhe contando esse fato particular? É porque todos os anos era a mesma coisa, a mesma dificuldade de respirar, o mesmo sofrimento, até eu aprender a importância da organização e da prevenção.

De tanto sofrer com esse problema, aprendi a prevenir e, com isso, minimizar e, algumas vezes, até mesmo neutralizar completamente os efeitos da mudança climática. Tem sido assim nos últimos dez anos. No início do inverno, reforço meu estoque de solução fisiológica para hidratação do nariz e tiro do armário o aparelho vaporizador, que garante a umidade do ar. Ser mais organizado me ajudou a ganhar ótimas noites de sono, manhãs mais dispostas e um ótimo estado de humor. Pronto. Um problema a menos!

Meu problema respiratório é, confesso, um exemplo muito simples, e foi exatamente por isso que tive a intenção de citá-lo. Quantos problemas pequenos e simples nos acometem todos os anos e contribuem para nossa perda de foco? Uma formiga sozinha não altera uma paisagem, mas um formigueiro unido pode fazer desaparecer uma floresta. Digo isso porque a maioria das pessoas pensa nos problemas não quando eles batem à porta, mas quando já se instalaram e começaram a produzir outros.

Pense na quantidade de pequenos eventos de saúde como o meu que nos acometem todos os anos e em como tiram nossa produtividade e alteram nosso estado de humor. Em contrapartida, uma vida organizada se traduz em uma mente mais serena e focada.

A organização é a irmã gêmea da prevenção. Quando você se organiza, obrigatoriamente, previne uma série de pequenos — e quem sabe até mesmo grandes — problemas. É como preparar as malas para uma viagem. Você tenta imaginar todas as situações possíveis que podem lhe ocorrer e pensa nos trajes mais adequados para enfrentá-las. Organização deve ser o seu novo e mais importante valor moral. E o que significa ter a organização como valor moral? Significa que para ser organizado você precisa, antes de qualquer coisa, valorizar esse hábito.

Entenda: existem bons livros que ensinam desde como organizar uma mala de viagens, uma simples gaveta, uma geladeira, uma casa ou até mesmo um complexo departamento de uma empresa, mas de nada vale um sistema eficaz para gerenciar tudo em sua vida se você não valoriza a organização.

Conheço empresas que vivem um caos todos os dias com funcionários estressados que gastam tempo e energia para solucionar novos problemas que se instalam a todo momento, simplesmente porque a direção da empresa não valoriza, ou seja, não dá a devida importância para a organização.

Organização é um valor moral e, para isso, você deve valorizá-la. Pessoas organizadas dificilmente se esquecem de algo, poucas vezes perdem tempo com tarefas inúteis e é pouco provável que vivam sob pressão porque a organização lhes permite antecipar os problemas. Ser organizado é o seu novo valor moral e o melhor caminho para estabelecer a disciplina e conquistar a paz mental.

Você dispõe de muita informação hoje em dia. Por isso, não deveria ser pego de surpresa, concorda? Tudo o que acontece no mundo diariamente é de certo modo previsível. Assista aos noticiários, que será fácil constatar isso. Por exemplo, se você tabular as coberturas jornalísticas dos 365 dias do ano, verá que são sempre as mesmas notícias.

A mídia começa o ano noticiando as festas, as férias e os impostos que você terá de pagar. Depois, trata do período de matrícula dos filhos nas escolas e do preço do material escolar. Logo em seguida, vem a cobertura do Carnaval e, antes que ele acabe, já aparecem os primeiros ovos de páscoa.

Depois tem o movimento do dia das mães, dos pais, das crianças e, entre eles, as notícias variam entre economia, esporte, clima e saúde. Enfim, isolando um ou outro evento natural apocalíptico, como terremotos, meteoros e furacões, os outros eventos são bem previsíveis. Até mesmo o comportamento humano é, em algumas circunstâncias, previsível.

Por exemplo, muitas pessoas começam o ano acima do peso, endividadas, fazendo mil promessas, ansiosas, repletas de dúvidas sobre o futuro, não é verdade? Contudo, pergunto: será que todos os anos precisam começar assim? É evidente que não! Você pode se organizar, combinar com seus familiares de criar um sistema de previsão que lhes permita começar o ano com uma dose extra de tranquilidade, foco, e a cabeça arejada para trabalhar os novos projetos.

Conheço uma família de classe média especialista em começar o ano em clima de felicidade e boas perspectivas. Todos os anos, no momento em que recebem as primeiras entradas financeiras, a esposa tem como meta reservar uma parte do dinheiro para o pagamento das contas que vencerão no início do ano seguinte, como IPTU, IPVA, matrícula e material escolar das duas filhas e todos os outros compromissos assumidos.

Assim, todo começo de ano, enquanto a maioria das famílias sofre para equilibrar as dívidas, eles saem de férias com a tranquilidade de que todas as contas estão em dia e de que o dinheiro para os passeios não vai faltar, pois já estava sendo economizado desde o início do ano anterior. É um exemplo de organização familiar que lhes permite que não sofram desajustes emocionais decorrentes da desorganização financeira.

Vivemos em um mundo em que todo conhecimento produzido pela humanidade está na ponta dos dedos. Um mundo onde as pessoas fazem bom uso dessas informações, tornam-se mais organizadas, prevenidas e dificilmente são pegas de surpresa. Quando você tem a possibilidade de fazer um bom planejamento e antecipar os problemas que causariam atrasos e aborrecimentos, cria um ambiente mental de autocontrole e paz.

Ser organizado é diferente de ser metódico, cricri ou sistemático. Não estou falando que para ser organizado você precisa necessariamente ser estético. Organização tem a ver com estética na medida em que, se há organização, tudo se torna necessariamente mais bonito. É como inserir os dados em uma planilha eletrônica. Se você deixar todos os dados bem organizados, com o mesmo tamanho e tipo de fonte, alinhados do mesmo lado, seguindo um mesmo grupo de cores, perceberá que, embora a organização fosse o objetivo inicial, a planilha ficou esteticamente mais interessante.

A organização à qual me refiro aqui tem relação com a eficiência. Ser organizado previne os problemas e gera eficiência em suas tarefas, permitindo alcançar rapidamente os seus resultados. Eu tenho certeza de que você sabe do que estou falando. Enquanto o organizado coloca as canetas todas em um mesmo lugar, o metódico é aquele que coloca uma do lado da outra, com as tampas viradas para o mesmo lado e o alinhamento mais preciso possível. O organizado é mais prático, e o metódico é mais detalhista. E ambos são profissionais de valor em muitas atividades.

Você tem muitos planos, metas, objetivos e precisa avançar com foco para conquistar esses sonhos. Ter organização como valor moral será uma das melhores decisões de sua vida. Talvez você esteja perguntando: "Como fazer para que eu valorize a organização?". A resposta é simples: mostre para si mesmo os benefícios de manter esse hábito. Olhe para seu trabalho com a visão da organização, com os olhos da estética, com senso crítico, buscando sempre a perfeição. Ser organizado o ajudará definitivamente a encontrar o caminho para a realização dos seus projetos e, mais do que isso, o colocará na rota que vai ao encontro de outros dois aspectos fundamentais para aumentar seu poder de realização: coragem e disciplina.

CORAGEM E DISCIPLINA

Henry Ford foi o homem que inovou e revolucionou a indústria automobilística mundial no final do século XIX. Antes dele, os veículos eram produtos acessíveis apenas a pessoas com alto poder aquisitivo, pois os custos e a mão de obra envolvidos na produção artesanal eram altíssimos e inviabilizavam a popularização do produto.

Então, Ford mostrou ao mundo que com um pouco de organização, planejamento e uma boa dose de coragem e disciplina era possível transformar radicalmente todo um segmento industrial e, com isso, revolucionar o modo como as pessoas se deslocavam no mundo. Ele criou e implantou o conceito industrial de linha de montagem, que diminuiu o tempo de produção e barateou os custos finais dos veículos, permitindo sua popularização. Organização, coragem e disciplina eram seu lema.

Assim como vimos em organização, a disciplina também é um valor moral. Se você deseja ser organizado, comece valorizando a organização. Se deseja ser disciplinado, então não procure um curso, aprenda primeiro a dar valor à disciplina. Ford dizia que "há mais pessoas que desistem do que pessoas que fracassam". E se você analisar a fundo essa frase, e sinceramente gostaria que o fizesse, verá que ela está carregada de sentido e verdade.

Muitas pessoas sonham, sonham, sonham, mas não passam desse universo. Como diz a famosa música do poeta Paulinho Mocidade, "sonhar não custa nada", mas realizar sonhos tem um preço que somente as pessoas disciplinadas estão dispostas a pagar. Organização e coragem são predicados essenciais para quem corre atrás dos sonhos, porém nada disso funciona se você não tiver uma boa dose de disciplina para sustentar uma decisão tomada. Ser disciplinado é saber o que deve ser feito e seguir em frente, sem se deixar abater ou permitir que tentações o desviem do caminho.

Disciplina é a capacidade de identificar as etapas necessárias para a realização de um projeto e segui-las rigorosamente até conquistar o objetivo. Disciplina, em outras palavras, é como um mapa que nos mostra o passo a passo e diz exatamente o que devemos fazer para encontrar o tesouro. Ser disciplinado é simplesmente fazer o que é certo, fazer o que está escrito no mapa. Ford foi extremamente eficaz nesse sentido. Ele reuniu todas as informações sobre o processo de montagem de veículos que existiam até aquele momento e organizou as informações criando um método de linha de montagem. Em seguida, teve coragem de implantar a novidade, rompendo com todos os padrões da época. E, finalmente, teve disciplina para seguir com rigor seu novo sistema, ajustando o que fosse necessário até conseguir provar que era de fato o mais eficiente. Ele foi um vencedor e, mais do que isso, seu método e sua disciplina faziam com que seus colaboradores também trabalhassem com mais foco e fossem mais disciplinados.

Se você tem uma boa ideia e provou para si mesmo que todas as informações conspiram para que dê tudo certo, organize-se e concentre-se para transformá-la em realidade. Se você tem iniciativa e coragem de colocar tudo em prática, se tem disciplina suficiente para não se deixar contaminar e desviar-se com futilidade e escolhas erradas, então, tudo indica que terá sucesso na sua empreitada. Lembre-se: "Há mais pessoas que desistem do que pessoas que fracassam".

Os fracos não conseguem manter-se em linha reta, desviam-se ao longo do caminho. São fracos em disciplina e por isso abandonam rapidamente os próprios sonhos, antes mesmo que deem os primeiros sinais de progresso. Esses indivíduos colocam a culpa no governo, na crise, nas pessoas, em tudo e todos, menos neles mesmos. Eles não são capazes de enxergar que são seus vícios em programas de televisão, em redes sociais, amizades tóxicas e muitas outras escolhas erradas que os impedem de avançar. A força para resistir às tentações e seguir em frente em busca dos sonhos está na disciplina.

Os fortes, ou seja, os que "pouco fracassam", que seguem o pensamento de Ford, colherão os frutos da disciplina, da perseverança e da paciência. Quem não desiste vai mais longe e conquista seus objetivos. É como uma prova de vestibular ou concurso. Nessas modalidades, o único caminho possível, se não houver desistência, é a aprovação. O aluno estuda, faz a prova e é reprovado. Volta a revisar tudo o que tinha estudado e estuda mais um pouco, faz a prova e é reprovado novamente. Torna a revisar e estudar como nunca todo conteúdo, mas dessa vez ele reprova por muito pouco. Revisa mais uma vez todas as matérias, faz a prova com mais segurança e dessa vez é aprovado.

Entenda: cada vez que o aluno fazia a prova e era reprovado ele se fortalecia, melhorava seus métodos e tentava de novo. Entretanto, cada vez que tentava, aumentava suas chances de aprovação. Ele tinha o mapa da disciplina, reconhecia seus pontos fracos, sabia o que era preciso fazer. Disciplina é e será seu grande diferencial. Veja o exemplo de pessoas que brigam com a balança e vivem fazendo dietas.

Existem no mercado centenas de livros com as mais diversas receitas e programas inusitados para que as pessoas percam peso. Tenho certeza de que a maioria deles funciona de verdade ou, pelo menos, traz algum benefício. O que falta para muitas pessoas é força moral suficiente para seguir as orientações até o fim. Os verdadeiros disciplinados, aqueles que seguem o mapa até encontrar o tesouro, não só executam todo o programa, como colhem todos os benefícios prometidos pelo método. E esse poder está ao seu alcance.

Conheci um empresário que resolveu seguir um processo que envolvia quarenta minutos diários de esteira elétrica em velocidade alta e controle rigoroso da alimentação, escolhendo os produtos mais saudáveis possíveis. Ele me disse que seguiu rigorosamente o método que lhe foi ensinado e, em menos de sessenta dias, já havia perdido aproximadamente 40 quilos.

Outro empresário também seguiu um sistema com disciplina, o mapa de um programa de perda de peso que implicava controlar a alimentação, cortar o consumo de refrigerante — que ele adorava — e correr 10 quilômetros todos os dias. Evidentemente, no início do processo ele mal conseguia fazer uma boa caminhada, mas sabia que deveria seguir o que estava escrito no mapa.

Ele enfrentou as dificuldades do começo, resistiu às tentações e seguiu firme, com coragem e disciplina. Resultado: passados setenta dias, ele conseguia correr sozinho os cerca de 10 quilômetros e já tinha perdido, nesse período, aproximadamente 30 quilos de gordura. A disciplina é o maior dom da humanidade. Saber exatamente o que deseja, conhecer todas as etapas necessárias para a realização desse desejo e seguir rigorosamente o mapa da mina é a chave para o sucesso.

O primeiro passo para sua transformação é saber exatamente o que quer e o que precisa fazer para escrever uma história de sucesso. O roteiro é o seu mapa para manter o foco e a disciplina, então novamente responda:

Aonde exatamente você deseja chegar?

O que você precisa fazer para alcançar esse objetivo?

Você já reparou que sempre expressamos os nossos sonhos usando verbos? Expressar nossos desejos com verbos nos diz muita coisa. Além de expressar os desejos e as verdadeiras intenções, os verbos mostram como é fundamental ter disciplina e força para agir, pois todo verbo nos convida à ação. Veja alguns exemplos:

- Quero SER dono do meu próprio negócio.
- Quero TER mais dinheiro.
- Quero IR para a Europa.
- Quero COMPRAR uma casa.
- Quero CONQUISTAR o troféu de campeão.
- Quero PASSAR no vestibular.
- Quero FAZER regime.

Se existe uma vantagem em escrever o mapa com o roteiro que o levará até a realização dos seus sonhos é: com ele em mãos fica mais fácil manter-se focado. E foco, como você sabe, é consequência natural da disciplina.

Saber exatamente aonde quer chegar ajuda a afastar os fantasmas da ansiedade, da insegurança, da preguiça e do tédio. Isso o fortalece interiormente. Então, o que de fato deve vir escrito no mapa dos tesouros dos seus sonhos? Talvez você seja a pessoa mais indicada para responder a essa pergunta, pois só você sabe o que falta para chegar lá. Ou talvez você também não saiba e isso é perfeitamente compreensivo.

Muitas pessoas aflitas sabem exatamente que precisam mudar, mas não sabem como fazê-lo. Muitas vezes a pessoa tem uma boa ideia para montar um negócio, mas não tem dinheiro. Às vezes, tem dinheiro, mas não tem coragem. E, em outras ocasiões, tem dinheiro e coragem, mas não tem disciplina.

Por isso, seu mapa deve lhe dizer exatamente por onde seguir. E se você traçou todas as estratégias, testou todas as hipóteses, refutou todas as objeções e ainda assim estiver inseguro em relação ao modo de agir, ou não souber exatamente qual o ponto de partida, então não hesite em procurar ajuda.

Siga as metas do Capítulo 7 que o ensinaram a construir relacionamentos equilibrados. Saiba ouvir seus mentores com atenção, aceite as críticas com humildade, peça conselhos para as pessoas certas e que realmente tenham autoridade para ajudá-lo a escrever seu mapa do tesouro — o guia que lhe permitirá manter o foco e a disciplina na busca dos seus sonhos.

ASSUMA DEFINITIVAMENTE O CONTROLE

A memória humana é um poderoso mecanismo de defesa e oportunidade. Ela nos faz lembrar das experiências agradáveis, para que possamos repeti-las, e das experiências ruins, com o intuito de evitá-las.

Para isso, nossa memória recorre, muitas vezes, a associações bem engraçadas. Por exemplo, hoje em dia, toda vez que viajo de carro procuro respeitar os limites de velocidade e as faixas de ultrapassagem, mas antes não era assim. Como a maioria dos jovens de minha época, eu gostava de pisar um pouco mais no acelerador e fazer ultrapassagens perigosas para chegar alguns poucos minutos mais cedo ao meu destino. Um amigo que viajava comigo a trabalho, quando via que eu estava com pressa, cantava a conhecida música "Estrada da vida" da dupla sertaneja Milionário e José Rico.

> *Nesta longa estrada da vida*
> *Vou correndo e não posso parar*
> *Na esperança de ser campeão*
> *Alcançando o primeiro lugar*
> *[...]*
> *Mas o tempo*
> *cercou minha estrada*
> *E o cansaço me dominou*
> *Minhas vistas se escureceram*
> *E o final da corrida chegou...*

Ele cantava enquanto fazia umas mímicas engraçadas. Então, eu me tocava, tirava o pé do acelerador e respeitava os limites.

Um dos objetivos deste livro é ajudá-lo a manter a mente no presente e contemplar mais a vida. É isso que eu faço hoje quando pego a estrada. Não sou mais aquele motorista que faz loucuras para chegar ao destino. Procuro curtir a viagem, admirar a paisagem, ouvir as músicas de que gosto... Nesses grandes lapsos do presente, vejo como as pessoas ainda hoje fazem loucuras ao volante. Atos de loucura que eu mesmo já fiz, porém que, após mudar o próprio estado de consciência, aprendi a abandonar.

Certa vez, dirigia meu carro por uma estrada de pista simples, muito movimentada e, portanto, muito perigosa. Estava voltando para casa após uma semana de trabalho e desejava muito ver minha esposa e meu filho. Queria chegar logo em casa, mas, em virtude do perigo que a estrada apresentava, o autocontrole falava mais alto e me fazia seguir com disciplina todas as instruções das placas da rodovia.

A certa altura encostou atrás de mim um carro esportivo vermelho. Estava praticamente colado na traseira do meu veículo e dava para ver pelo retrovisor que o motorista era homem, jovem, com expressão aborrecida e com muita pressa, pois o farol esquerdo do carro dele aparecia o tempo inteiro no retrovisor esquerdo do meu carro. Ele forçava a ultrapassagem, mas estava com dificuldade por causa do lento caminhão que seguia à nossa frente e o grande tráfego de veículos na faixa oposta da estrada. Depois de tanto insistir, ele conseguiu fazer uma ultrapassagem em local proibido. Continuei minha viagem atrás do caminhão. Quando, quilômetros à frente, qual foi a minha surpresa? Encontrei o mesmo veículo vermelho agora colado na traseira de outro caminhão que seguia lentamente. Na primeira oportunidade ele reduziu a marcha, acelerou, ultrapassou e disparou na frente até sumir de novo na pista.

Mais tarde o encontrei colado na traseira de outro caminhão, e isso se repetiu outras duas vezes.

Qual é o nosso destino final nesta vida?

Tenho certeza de que você não tem dúvidas sobre onde todo ser vivo vai parar um dia. Então, para que ter pressa, não é mesmo? Às vezes, o preço que pagamos por ganhar alguns minutos a mais abrevia nossa vida. Aceitamos pagar valores muitos altos com atitudes assim — e posso lhe garantir que não vale a pena correr tantos riscos.

Você não deve dirigir a vida como um veículo apressado. Deve ser prudente e respeitar seus limites físicos e emocionais. Não deve correr acelerado, passando por cima de tudo e de todos. Respeite os sinais de alerta do bom senso. O autocontrole nos ensina que não precisamos ter tanta pressa assim. É você quem dirige sua vida fazendo as melhores escolhas para cada tipo de evento de que participa. Mais do que isso, o autocontrole permite que você faça tudo isso em paz.

E quando a estrada da vida estiver chegando ao fim, você só terá boas lembranças na memória. Lembranças dos dias em que largou tudo para ficar brincando com seu filho. Do longo abraço que deu na pessoa amada. Dos momentos de felicidade e diversão vividos quando se sentou com a família para planejar a compra da nova casa, a viagem para o exterior. Das conversas instrutivas que teve com seus pais enquanto eles eram vivos.

Assuma definitivamente o controle. Dispa-se da vaidade, do acúmulo, do apego material. Quando você tem uma opção, e apenas uma, acaba com os problemas. Portanto, escolha e mantenha uma única opção, e que seja sempre a melhor.

CAPÍTULO 9

Agora você tem o poder

Se durante muito tempo você se sentiu como o espectador dos descontroles da sua mente, saiba que esse quadro está prestes a mudar. Agora você sabe que com muito policiamento, conhecimento e técnicas conseguirá se libertar das peripécias e surpresas dos pensamentos edificantes, sim, mas na maior parte do tempo inúteis e desconexos, que servem apenas para desviá-lo do foco.

Com disciplina e autocontrole você é capaz de espiar, conhecer e interagir com a sua mente. Da mesma maneira que a mente, para muitas pessoas, pode ser um fardo, se compreendida pode ser a sua melhor fonte de inspiração, o ambiente da legítima paz de espírito.

Talvez você não tenha se dado conta de que, com autocontrole estabelecido, a batalha invisível que travamos diariamente na tentativa de trazer a mente para o nosso lado será cada vez menor e, com certeza, você conseguirá, em pouco tempo, ver o tempo passar em câmera lenta — e essa é uma sensação maravilhosa!

Com a mente a seu favor e o foco como estado mental predominante, você sempre terá a certeza de ter feito o melhor na execução daquele trabalho, de ter se dedicado mais aos seus semelhantes e ter feito a coisa certa, conquistando a nova oportunidade.

Se a mente é um picadeiro, então chegou a hora de sair da plateia e dirigir o espetáculo. Você agora conhece bem o ambiente e sabe como preparar o show. Agora é você quem escreve o roteiro, o mapa do tesouro e mostra o caminho para atuar com excelência.

Apresentei ao longo do livro ótimas dicas de como conquistar aquilo que experimento todos os dias e que tem sido cada vez mais "objetos de desejo" das pessoas: o autocontrole e a paz mental.

Se muitas vezes você se sentiu escravo da mente, hoje tem o direito de dar as cartas, pois aprendeu a não reprimir, esconder, neutralizar ou brigar com pensamentos negativos, fracos ou inapropriados. Usando essa nova abordagem, respeitando sua natureza, descobrindo a origem dos seus pensamentos e abraçando-os, você neutraliza suas influências negativas que, se não fossem contidas a tempo, poderiam determinar seu destino desfavoravelmente.

Fazendo esse exercício com disciplina, você poderá dizer que vive em paz com sua mente e seus pensamentos. Como um maestro, você conduzirá com excelência esses anjos e feras que se apresentam no mesmo picadeiro. O que as pessoas mais próximas chamarão de paciência e calma você chamará com orgulho de autocontrole, equilíbrio, paz mental e liberdade.

Usando as capacidades da mente a seu favor, poderá conquistar tudo o que lhe falta para se sentir mais completo e satisfeito com a vida. Poder aproveitar o presente e se livrar das angústias limitadoras dos arrependimentos passados ou medos do futuro é libertador. Enxergar além das dificuldades e encontrar as soluções para seus problemas, planos e sonhos são os trunfos do foco e da disciplina.

Gerenciando as distrações, dirigindo o espetáculo da mente e canalizando suas energias para fazer as escolhas certas, você vai experimentar um estado de felicidade, que, talvez, não experimentasse há muito tempo. Para ter consciência de estar no presente e viver momentos de paz, você não precisa viajar ou mudar externamente, mas pode continuar vivendo em um grande centro urbano, com uma vida frenética. Pode manter-se conectado com seus aparelhos eletrônicos, continuar recebendo torpedos, e-mails e telefonemas. Só precisa descobrir e entender que, mesmo em meio ao caos informacional, é possível fechar os olhos, respirar fundo, relaxar o corpo e acalmar o *id* para aumentar a influência do Eu em sua vida — mesmo que seja só de vez em quando.

O Eu é o caminho da esperança, é sua mente líder e consciente que produz momentos de paz de espírito, um estado totalmente acessível. Foi isso o que você aprendeu neste livro. Agora é a hora de vivenciá-lo, colocar em prática todas as atitudes, todos os caminhos que se mostraram importantes para conquistar seus sonhos. Assim como o que importa para a criança é o presente, será exatamente no presente que você passará a maior parte do seu tempo. Você é capaz de ampliar seu poder de foco a fim de enxergar os detalhes que passaram despercebidos por tantos observadores.

É mais do que fundamental resgatar a alegria da infância e, neste livro, você descobriu alguns caminhos para isso. Você está qualificado a desenvolver o foco, o autocontrole e a concentração. Você nasceu para viver a felicidade plena e o seu "software da felicidade" está agora devidamente configurado. Seus aplicativos mentais podem agora acessar a felicidade e a alegria, que estavam, talvez, adormecidas em seu íntimo. Nunca se esqueça: é você quem controla sua mente e não o contrário. Observe, conheça e domine seus pensamentos, faça deles uma fonte inesgotável de energia e entusiasmo.

Assuma o controle da própria existência. Acorde um pouco mais cedo, aproveite a suavidade da luz do amanhecer, preste atenção no cantar dos pássaros e nos diversos sons da natureza. Tenha alguns minutos para se espreguiçar, respire profundamente, olhe pela janela e agradeça ao universo pelo despertar de mais um dia.

Fique com seus filhos e ensine-os com paciência e carinho as tarefas simples: como escovar os dentes, colocar a roupa, amarrar o cordão dos sapatos. Acredite: eles ficarão felizes em receber sua atenção e dedicação para lhes mostrar essas atividades, que, para eles, são enormes responsabilidades.

O autocontrole é a chave de acesso para seu novo mundo mental fantástico, onde você se tornará uma pessoa mais calma, disciplinada, hábil para gerenciar as emoções e os pensamentos, alguém que consegue resistir facilmente às tentações e aos vícios.

Talvez você tenha o desejo de fazer um regime, de parar de beber ou abandonar o cigarro. Talvez sua meta seja estudar para um concurso ou se dedicar mais ao aprendizado de um novo idioma. É com disciplina e dedicação que os bons projetos decolam. Sua mente não pode ser mais uma fonte de problemas. A partir de agora, sua mente será uma usina de força à sua disposição. Por essa razão, exercitar o autocontrole é fundamental.

Às vezes é mais fácil ter força moral para enfrentar o problema e acabar de vez com o sofrimento antes de vê-lo se transformar em algo maior. Muitas crises podem ser resolvidas com um pedido de desculpas, com um pouco de diálogo ou postura de humildade. O autocontrole facilita o exercício da empatia, que nos permite tomar decisões mais lúcidas e acertadas. Quando você corta o mal pela raiz, evita automaticamente que o sofrimento se propague. Sem sofrimento, você consegue manter o foco no que realmente é importante e ganha com isso mais poder de realização e clareza para analisar e fazer as melhores escolhas.

Escolha ser mais desprendido. Invista menos no TER e amplie o espaço do SER. Para que tantas roupas, sapatos, acessórios, carros, imóveis? Jesus Cristo é o nome mais lembrado do mundo, foi o maior ser que já pisou na Terra e nunca precisou mais do que algumas roupas, um cajado e um par de chinelos para espalhar suas lições de amor por todo o mundo. Quanto mais investir no SER, no autoconhecimento, no aprendizado constante, mais descobrirá que uma pessoa feliz, realmente feliz, não precisa de tanto para viver. E estará livre das prisões mentais, dos vícios e terá uma vida plena e satisfatória.

Os estados mentais das pessoas refletem exatamente no estilo de vida e nas escolhas que elas fazem para a própria vida. Estados mentais, você deve se lembrar, são como os ícones de aplicativos organizados na tela do seu *smartphone*. Alguns você utiliza mais, outros menos, outros ainda nunca acessa. Assim como aprendeu a fazer uma faxina nos estados mentais negativos, escolhendo bem seus pensamentos, faça também agora uma limpeza nos seus meios eletrônicos. Retire tudo o que vicia e o faz perder tempo. Mantenha apenas os positivos, aqueles que o fazem avançar, superar desafios, pensar, achar soluções para problemas e buscar seus sonhos.

A humanidade clama por novos e bons exemplos de liderança, a natureza clama por pessoas capazes de produzir sem destruir, o universo clama por pessoas do bem, que deem mais atenção e tenham mais amor pelo próximo. Você é a pessoa escolhida e, para assumir esse papel, será preciso eliminar tudo, mas tudo o que atrapalha. Exerça agora mesmo essa força moral.

Ter autocontrole é ter a capacidade de escolher um estado mental que o mantém em estado de felicidade. Uma pessoa feliz é um ser humano com muito mais recursos, que mantêm o cérebro sempre jovem e com energia suficiente para se superar constantemente.

A mente humana carece de momentos de paz a fim de poder externar seu potencial criativo, inovar e produzir tudo o que é necessário para concretizar o que projetamos para nossa vida. Você não pode aceitar uma condição imposta pela sociedade atual que gira em torno do perigoso círculo vicioso: acordar, trabalhar, dormir. Viver é muito mais do que isso. Por isso, você tem o poder de controlar sua vida, fazer a gestão das próprias escolhas, dos próprios pensamentos. Você deve colocar a mente a favor da sua saúde, do seu equilíbrio e dos seus sonhos.

Nas situações mais difíceis que enfrentei, os conselhos que os especialistas me davam era para que eu gritasse, xingasse, brigasse, lutasse, atacasse, chorasse como uma maneira de descarregar as emoções nocivas. Hoje, aprendi a respeitar minha natureza, percebi que aqueles conselhos só aumentavam ainda mais o débito com minha consciência, saúde, enfim, comigo mesmo.

Se eu quisesse de fato preservar minha saúde, manter meu equilíbrio e algum grau de autocontrole, deveria fazer isso sozinho. Em nome da sua integridade física e mental, em nome da sua qualidade de vida, em nome dos relacionamentos que conquistou, você deve continuar respeitando sua natureza.

Você até pode anular dentro de si as descargas emocionais, porém, vai fazê-lo com um olhar de benevolência, com lucidez e maturidade que só quem trabalha o metapensamento possui. Vai neutralizar qualquer efeito nocivo que essas descargas poderiam produzir.

O autocontrole sempre será um movimento do bem. É a resposta forte do anjo contrapondo-se aos conselhos do diabo. É sua nova maneira de mostrar aos impacientes, vingativos, rancorosos que às vezes é mais inteligente não reagir. É melhor tornar a vida mais leve evitando mais crises, conflitos. Você não precisa e nem quer mais isso, não é verdade?

A transformação da emoção negativa em emoção neutra ou emoção positiva só é possível quando olhamos para o interior e investigamos a origem das nossas reações emocionais e dos nossos pensamentos. Se a mente humana é um picadeiro, você é o diretor do espetáculo. E o metapensamento, esse lapso de consciência que nos acomete, será, como eu já disse, a fresta que surge em um dia de céu nublado, permitindo a entrada dos raios solares.

Pessoas equilibradas sofrem menos, muito menos do que as outras, porque suas decisões são lúcidas, são bem pesadas, e esse potencial agora está em suas mãos.

Conclusão

Explicar a mente não é tarefa fácil, como sugeri no início deste livro. Se fosse possível explicar essa fabulosa faculdade humana, a imagem do circo seria a melhor metáfora. Como exemplifiquei, no centro do circo teria um enorme picadeiro, o palco para o espetáculo da vida mental, que se desdobra para o único espectador: você.

As luzes acendem.

No picadeiro, o holofote ilumina um animado apresentador que retira a cartola e estende o braço. Coloca um belo sorriso no rosto, aproxima o microfone da boca e sorrindo grita: "Que abram as cortinas. Rufem os tambores... Entrem as feras, as musas, os trapezistas, os músicos, os palhaços, o vidente, o malabarista e o mago. Entrem todos no picadeiro. Respeitável público, o show vai começar!".

Nesse momento, o espectador, o único presente, se levanta da cadeira e invade o picadeiro. Ele caminha a passos fortes, determinado a mudar o show. Seu caminhar é decidido e seu olhar transmite a certeza e a segurança de quem sabe exatamente o que fazer.

Durante muito tempo o espectador foi apenas isso, um espectador. Ele estava cansado de ficar sentado, inerte, assistindo todas as manhãs ao mesmo espetáculo. Assistindo a vida passar como em um filme repetitivo, que o enfraquecia, sugava suas energias e matava seus sonhos. O espectador entendeu finalmente que era preciso mudar. Mudar era o que ele mais queria. Por isso ele se levantou. Resolveu enfrentar o medo e pela primeira vez decidiu dizer não.

Ele toma o microfone da mão do apresentador e sobe no palco. A luz que agora ilumina seu corpo não vem dos holofotes, é sua luz própria. Sua voz antes embargada agora soa como um trovão. Então o espectador ordena:

"Prendam as feras! Soltem-nas apenas quando eu mandar."

E segue:

Musas, contenham seus desejos. Não deixe que os exageros da vaidade escravizem a vida de vocês. Trapezistas, tenham cuidado com o salto. É preciso calcular bem os riscos antes de se atirar no espaço. Palhaços, contenham seus risos. Rir é fundamental, mas tem muitas coisas que precisam ser levadas a sério. Vidente, fale menos do passado. As vezes é melhor encontrar soluções novas para velhos problemas.

Malabarista, use toda sua habilidade, mas tenha foco, faça um número de cada vez. Fazer tudo ao mesmo tempo alimenta o erro, e minha vida depende muito de você. Mago, todas as manhãs revise meus planos, mostre as melhores perspectivas para o meu futuro. Renove os meus sonhos, lembre-me das minhas qualidades, mostre-me como viver: um dia de cada vez. Vigie sempre os meus pensamentos e guarde O *c*érebro, com *foco e disciplina*.

Respeitável público, prepare-se...

O espetáculo vai começar!

Referências bibliográficas

ALVAREZ, Ana. *Exercite a sua mente*. São Paulo: Nova Cultural, 2004.

ANDREAS, Steve. *A essência da mente*. São Paulo: Summus, 1993.

BANDLER, Richard; GRINDER, John. *Resignificando*: programação neurolinguística e transformação do significado. São Paulo: Summus, 1986.

BARBOSA, Christian. *A tríade do tempo*. Rio de Janeiro: Sextante, 2011.

BODEN, Margaret A. *Dimensões da criatividade*. Porto Alegre: Artmed, 1999.

BRAGA, A. P.; LUDEMIR, T. B.; CARVALHO, A. C. P. *Introdução às redes neurais*: teoria e aplicações. Rio de Janeiro: LTC, 2000.

BRAND, Jorge Luiz. *Comunique-se melhor e desenvolva sua memória*. São Paulo: Vida Nova, 1999.

DRAAISMA, Douwe. *Metáforas da memória*: uma história das ideias sobre a mente. São Paulo: Edusc, 2005.

ECCLES, J. *Cérebros e consciência*: o *self* e o cérebro. Lisboa: Instituto Piaget, 2000.

FRAWLEY, William. *Vygotsky e a ciência cognitiva*. Porto Alegre: Artmed, 2000.

GOLEMAN, Daniel. *A arte da meditação*. Rio de Janeiro: Sextante, 1999.

GREENFIELD, Susan A. *O cérebro humano*: uma visita guiada. Rio de Janeiro: Rocco, 2000.

HALLOWELL, Edward M.; RATEY, John J. *Tendência* à *distração*. Rio de Janeiro: Rocco, 1999.

HERCULANO-HOUZEL, Suzana. *Afinal, o que há de tão especial no cérebro humano*. Disponível em: <http://livrepensamento.com/2014/05/26/afinal-o-que-ha-de-tao-especial-no-cerebro-humano/>. Acesso em: 10 ago. 2014.

OSHO. *Aprendendo a silenciar a mente*. Rio de Janeiro: Sextante, 2008.

SETZER, Valdemar W. *O que a internet está fazendo com nossas mentes?* Disponível em: <http://www.ime.usp.br/~vwsetzer/internet-mentes.html>. Acesso em: 21 ago. 2014.

TOLLE, Eckhart. *O poder do agora*. Rio de Janeiro: Sextante, 2002.

Este livro foi impresso pela gráfica
Bartira em papel pólen bold 70g/m²
em junho de 2025.